Le p'tit Manuel

méthode de français

3

Le p'tit Manuel

méthode de français

3

F. Makowski / F. Lapuente Rubio

avec la collaboration de
M. Bernier

Hachette
français langue étrangère

LE P'TIT MANUEL 3 comprend :

- un livre de l'élève
- deux cassettes pour la classe
- un guide pédagogique

Dessins de Victor M. Lahuerta, Jose Luis Marco et Manuel Martinez.

Maquette de Victor M. Lahuerta.

© SGEL 1986
© HACHETTE 1986 79, boulevard Saint-Germain - F 75006 Paris
ISBN 2.01.010995.3

Contenu

Contenu

Contenu

Contenu

Contenu

APPRENTISSAGE	THEMES
• Lire le plan d'une ville.	• *Invitation au* tourisme : les voyages touristiques. • Texte complémentaire : *Toujours et Jamais* (p. 108).
• Faire le bilan de ce que l'on a appris.	• La place de la France dans la CEE. • Poème : *Les arbres dans la ville.* • Textes complémentaires : *Quartier libre* et *Dites-vous bien* (p. 109).
• Lire un texte littéraire : *Le jardin du baobab* — A. Daudet.	• *Invitation à* l'humour. • Textes complémentaires : *Les mots images* et *La brebis galeuse* (p. 110).
• Composer un menu.	• *Invitation à* la lecture de Jean-Paul Sartre, Le plaisir de lire. • Texte complémentaire : *C'est le joli printemps* (p. 111).
• Conceptualisation du corps humain.	• *Invitation à* des vacances en France. • Texte complémentaire : *Le pélican* (p. 111).
• Découvrir des raisons pour continuer à apprendre le français.	• Apprendre le français : *Pourquoi ?* • Chanson : *Vive la Rose.* • Chanson : *La bal(l)ade du p'tit Manuel.*

Ière Unité

Objectifs

- Se présenter.
- Demander une information.
- Donner une information.
- Prendre congé.

Chers amis,

Au début de votre troisième année de français, nous avons très envie de nous adresser à vous directement.

Pour cette nouvelle étape de votre apprentissage, nous avons demandé à des jeunes de votre âge, qui ont eu l'occasion de se rendre dans un pays francophone ou de communiquer avec des jeunes de langue française, de nous dire les difficultés qu'ils avaient rencontrées le plus fréquemment. Le P'tit Manuel 3 tient compte de cette enquête et reprend systématiquement, en les complétant, les outils de communication qui vous ont déjà été proposés et que vos camarades ont trouvé importants.

Le P'tit Manuel, comme vous, a grandi. Il s'intéresse à de nouveaux aspects de la langue et de la civilisation. C'est pour cela, par exemple, que la dernière page de chaque unité s'appelle "Invitation". A vous de l'accepter!

Bien cordialement.

Les Auteurs.

Un autre personnage célèbre a répondu à ces mêmes questions:

- Un acteur anglais.
- Créer des personnages.
- Rendre les gens heureux.
- Faire rire petits et grands.
- A la recherche de l'or (La Ruée vers l'or, 1925).

Qui est-ce?

- Victor Hugo?
- Astérix?
- Jean-Paul Belmondo?
- Charles Chaplin (Charlot)?
- Le Commandant Cousteau?

Activité 1

Observe les questions que se pose *Le penseur* de Rodin ● Qu'est-ce que tu remarques?

Activité 2

En petits groupes, observez les transformations suivantes et dites ce qui se passe:

- ● Qui suis-je?   ○ Qui est-ce que je suis?
- ● Que sais-je?   ○ Qu'est-ce que je sais?
- ● Que puis-je?   ○ Qu'est-ce que je peux faire?
- ● Que fais-je?   ○ Qu'est-ce que je fais?
- ● Où vais-je?   ○ Où est-ce que je vais?

Activité 3

Voici les deux constructions interrogatives les plus utilisées ● Observe les exemples et complète:

Exemples:

- ● Tu vas à l'école?   ○ Est-ce que tu vas à l'école?
- ● Il a faim?   ○ Est-ce qu'il a faim?

- ● Vous connaissez Paris?   ○ _____
- ● Tu viens?   ○ _____
- ● Elles ont bien travaillé?   ○ _____
- ● Vous avez compris ce film?   ○ _____
- ● On y va?   ○ _____
- ● Vous achèterez ce livre?   ○ _____
- ● Il a fait beau?   ○ _____
- ● Elles viendront faire l'excursion? ○ _____

Activité 4

Ecoute: Dans les questions suivantes, on demande des informations sur:

A ➞ Une personne?
B ➞ Un objet?
C ➞ Une action?

	1	2	3	4	5	6	7	8	9	10
A										
B										
C										

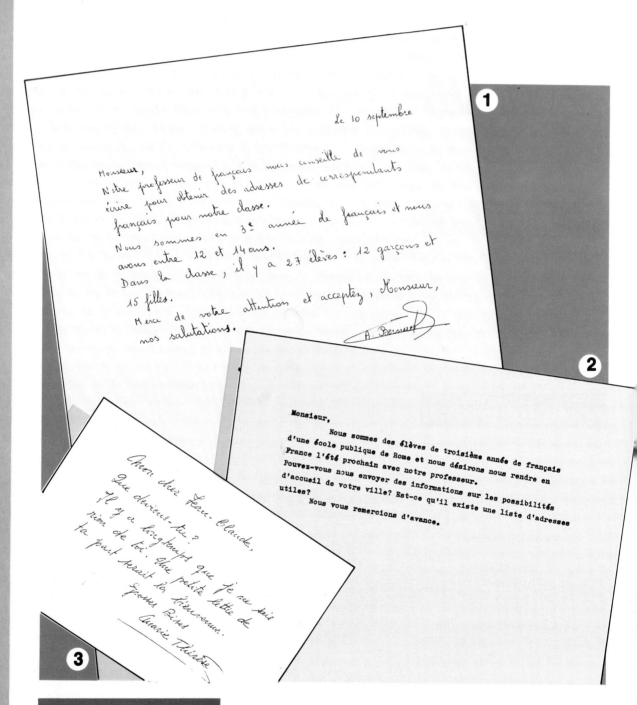

Le 10 septembre

Monsieur,

Notre professeur de français nous conseille de vous écrire pour obtenir des adresses de correspondants français pour notre classe.

Nous sommes en 3ᵉ année de français et nous avons entre 12 et 14 ans.

Dans la classe, il y a 27 élèves : 12 garçons et 15 filles.

Merci de votre attention et acceptez, Monsieur, nos salutations.

A. Bernard

1

Monsieur,

Nous sommes des élèves de troisième année de français d'une école publique de Rome et nous désirons nous rendre en France l'été prochain avec notre professeur. Pouvez-vous nous envoyer des informations sur les possibilités d'accueil de votre ville? Est-ce qu'il existe une liste d'adresses utiles?

Nous vous remercions d'avance.

2

Mon cher Jean-Claude,
Que deviens-tu ?
Il y a longtemps que je ne sais rien de toi. Une petite lettre de ta part serait la bienvenue.
Grosses Bises
Marie Thérèse

3

Activité 5

Quelle réponse de la page 15 correspond à chacun de ces trois messages?

1 ➡️ ▢   2 ➡️ ▢   3 ➡️

Activité 6

Quelle est la fonction de chacun des messages de la page 14 ?

- Demander des informations.
- Demander des renseignements.
- Demander des nouvelles de quelqu'un.

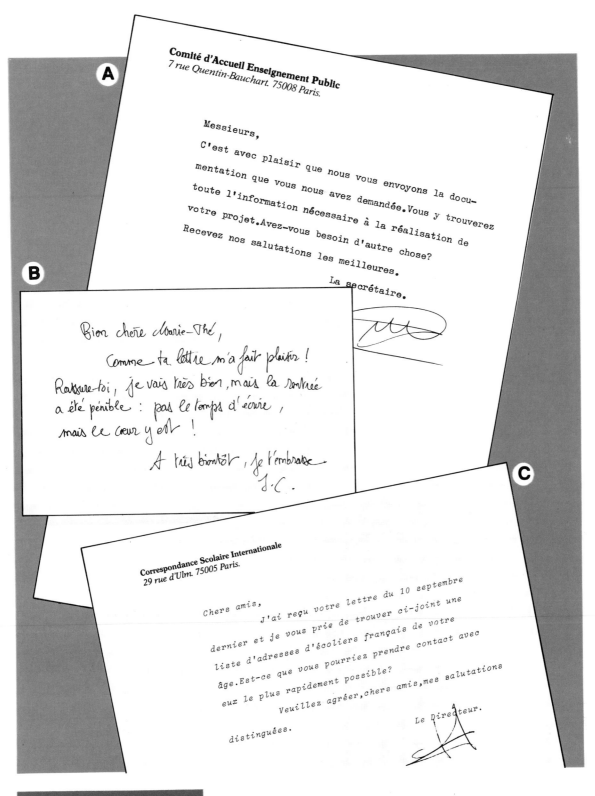

A

Comité d'Accueil Enseignement Public
7 rue Quentin-Bauchart. 75008 Paris.

Messieurs,

C'est avec plaisir que nous vous envoyons la documentation que vous nous avez demandée. Vous y trouverez toute l'information nécessaire à la réalisation de votre projet. Avez-vous besoin d'autre chose?

Recevez nos salutations les meilleures.

La secrétaire.

B

Bien chère Marie-Thé,

Comme ta lettre m'a fait plaisir !
Rassure-toi, je vais très bien, mais la rentrée a été pénible : pas le temps d'écrire, mais le cœur y est !

A très bientôt, je t'embrasse
J.C.

C

Correspondance Scolaire Internationale
29 rue d'Ulm. 75005 Paris.

Chers amis,

J'ai reçu votre lettre du 10 septembre dernier et je vous prie de trouver ci-joint une liste d'adresses d'écoliers français de votre âge. Est-ce que vous pourriez prendre contact avec eux le plus rapidement possible?

Veuillez agréer, chers amis, mes salutations distinguées.

Le Directeur.

Activité 7

- Note les expressions qui servent à commencer une lettre en français.
- Note les expressions qui servent à terminer une lettre.
- Comparez-les à celles que vous utilisez dans votre langue.

Activité 8

Et maintenant à vous! ● Votre classe a l'intention de préparer un voyage en France ● Vous écrivez au Comité d'Accueil dont l'adresse.se trouve sur l'une des lettres de la page 15 ● N'oubliez rien:

● Lieu où vous voulez aller.
● Moment où vous voulez y aller.
● Qui vous êtes.
● Moyen de transport, itinéraire, horaire, prix, etc.

Activité 9

A Tu vas écouter 6 questions ● Chacun de ces dessins correspond à l'une d'entre elles.
B Ecoute une deuxième fois et réponds.

Activité 10

Imaginez toutes les informations que Michel peut demander à ce guichet ● Comparez les idées des différents groupes.

Activité 11

Histoire sans paroles ● Ecoutez bien et racontez en petits groupes cette petite histoire.

Invitation au **voyage**

Mon enfant, ma soeur,
Songe à la douceur
D'aller là-bas vivre ensemble!
Aimer à loisir,
Aimer et mourir
Au pays qui te ressemble!
Les soleils mouillés
De ces ciels brouillés
Pour mon esprit ont les charmes
Si mystérieux
De tes traîtres yeux,
Brillant à travers leurs larmes.

Là, tout n'est qu'ordre et beauté,
Luxe, calme et volupté.

Des meubles luisants,
Polis par les ans,
Décoreraient notre chambre;
Les plus rares fleurs
Mêlant leurs odeurs
Aux vagues senteurs de l'ambre,

. . . .

Les riches plafonds,
Les miroirs profonds,
La splendeur orientale,
Tout y parlerait
A l'âme en secret
Sa douce langue natale.

Là, tout n'est qu'ordre et beauté,
Luxe, calme et volupté.

Charles Baudelaire

Les moyens pour mieux **lire un message**

1 Quel est son support?
2 Qui en est l'auteur?
3 Qui en est le destinataire?
4 Quelle est la fonction de ce message?

2ème Unité

Le téléphone, pionnier des techniques d'avenir

« Je me suis demandé si la parole elle-même ne pourrait pas être transmise par l'électricité ; en un mot, si l'on ne pourrait pas parler de Vienne et se faire entendre à Paris. La chose est praticable, voici comment... »

Quand Charles Bourseul, télégraphiste français, écrivait ces paroles prémonitoires, en août 1854, il ne savait pas de quelle invention formidable il allait être le père virtuel. Il fallut près de vingt ans pour que l'idée se concrétise, un siècle pour que le téléphone devienne un outil de tous les jours.

Aujourd'hui le téléphone, instrument banal s'il en est, est entré dans la quasi-totalité des foyers français, et ses performances sans cesse améliorées ouvrent la voie à de nouvelles manières de communiquer.

Objectifs

- Se présenter / Demander de se présenter.
- Dire qu'on n'a pas compris / Dire de répéter.
- Engager une conversation / Mettre fin à une conversation.
- Comparer / Apprécier.

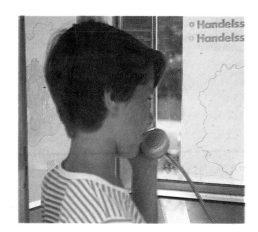

▶ Allô?
▷ Allô, Hélène? C'est Manuel à l'appareil.

▶ Allô...
Manuel?
Mais où es-tu?

▷ Eh bien, nous sommes là, à ...

▶ Mais vous êtes en avance.

▷ Eh oui, on a bien roulé...
▶ C'est chouette! tu sauras trouver la maison?

▷ Oh, oui, bien sûr.
▶ Bon, alors, à tout à l'heure.
▷ Au revoir.

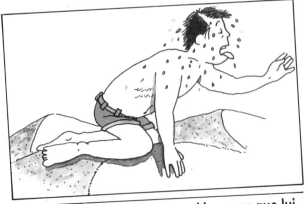

Venez chez nous et soyez aussi heureux que lui...
SAUNA SOL

Voyagez avec Radio 15,
la radio plus vraie que nature.

Il est plus brillant que nous.
Mais nous sommes presque aussi
économiques que lui.

Nos voitures sont aussi sûres que nos hommes.

Nos prix sont moins impressionnants
que nos services.

Ah, ça... mon véhicule
est moins rapide que le vôtre, mais...

Activité 1

Regarde et écoute les publicités de la page 20 et dis quelles constructions expriment:

A La supériorité.
B L'égalité.
C L'infériorité.

A quoi servent ces constructions?

Activité 2

Complète:

Paul est ___ âgé ___ moi.
Paris est ___ loin ___ Moscou.
Le pain est ___ cher ___ la viande.
Le train est ___ rapide ___ la voiture.
Un kilo de plumes est ___ lourd ___ 'un kilo d'or. Mais le second est beaucoup ___ cher ___ le premier.

Activité 3

Ecoute et choisis:

	1	2	3	4	5	6	7	8	9	10
plus... que										
aussi... que										
moins... que										

Activité 4

Comparez-les

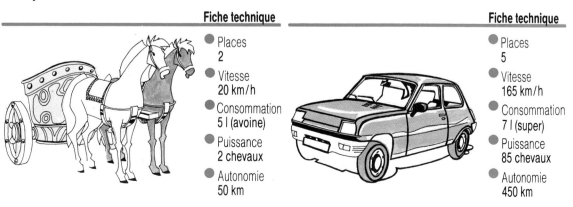

Fiche technique
- Places
  2
- Vitesse
  20 km/h
- Consommation
  5 l (avoine)
- Puissance
  2 chevaux
- Autonomie
  50 km

Fiche technique
- Places
  5
- Vitesse
  165 km/h
- Consommation
  7 l (super)
- Puissance
  85 chevaux
- Autonomie
  450 km

Dialogues

A ▶ Allô? Oui?
  ▷ Allô? Est-ce que Sophie est là, s'il vous plaît?
  ▶ Oui, c'est de la part de qui?
  ▷ De la part de Jacques.
  ▶ Une minute, s'il vous plaît, ne quittez pas.

B ▶ Allô, j'écoute.
  ▷ Allô. Est-ce que je peux parler à M. Hulot, s'il vous plaît?
  ▶ Ah, non, M. Hulot n'est pas là.
  ▷ Est-ce que je peux lui laisser un message?
  ▶ Oui, bien sûr. De la part de qui?
  ▷ Dites-lui que Mlle Tavernier, sa secrétaire, a téléphoné.
  ▶ D'accord, Mlle, au revoir.
  ▷ Merci. Au revoir.

C ▶ Allô?
  ▷ Allô?
  ▶ Est-ce que ton papa est là?
  ▷ Oui, qui est à l'appareil?
  ▶ Son ami Jean Dupont.
  ▷ Ne quittez pas, je vous le passe.

D ▶ Allô?
  ▷ Allô? Papa? Tu m'entends?
  ▶ Allôôô... Comment? Qui est-ce?
  ▷ Papa? C'est moi, Lulu!
  ▶ Ah, non, on n'entend rien du tout...
    Vous pouvez rappeler?
  ▷ Oui...

Activité 5

Regarde page 22 ● **Indique le numéro de l'image.**

Dialogue A ⟶ Image

Dialogue B ⟶ Image

Dialogue C ⟶ Image

Dialogue D ⟶ Image

Activité 6

Ecoute et choisis la bonne réponse:

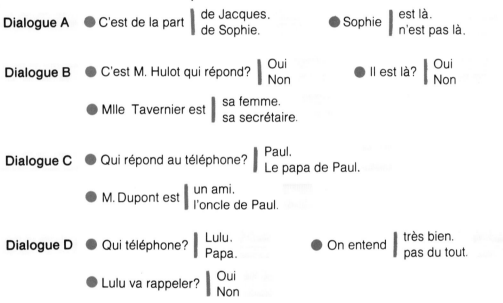

Dialogue A   ● C'est de la part | de Jacques. / de Sophie.   ● Sophie | est là. / n'est pas là.

Dialogue B   ● C'est M. Hulot qui répond? | Oui / Non   ● Il est là? | Oui / Non

● Mlle Tavernier est | sa femme. / sa secrétaire.

Dialogue C   ● Qui répond au téléphone? | Paul. / Le papa de Paul.

● M. Dupont est | un ami. / l'oncle de Paul.

Dialogue D   ● Qui téléphone? | Lulu. / Papa.   ● On entend | très bien. / pas du tout.

● Lulu va rappeler? | Oui / Non

Activité 7

Regardez pages 19 et 22 ● **En petits groupes, notez:**

A Les expressions qui servent à engager une conversation téléphonique.

B Les expressions qui servent à demander à quelqu'un de s'identifier.

C Les expressions qui servent à terminer la conversation.

Activité 8

En petits groupes, vous allez inventer une conversation téléphonique que vous jouerez ensuite devant vos camarades.

Exemple:

● Votre premier contact avec un correspondant francophone.

Jeu

Présenter quelqu'un

Activité 9

Vrai ou **faux?**

	VRAI	FAUX
La France est plus petite que la Belgique.		
La Loire est moins longue que la Garonne.		
Les châteaux de la Loire sont plus récents que les Arènes de Nîmes.		
Le Pic du Midi est aussi haut que le Mont Blanc.		
Dans le Midi, l'hiver est plus doux qu'en Alsace.		
Le Québec est plus près de Paris que de la Suisse.		

Et maintenant, rétablis la vérité.

Activité 10

A Mettez en ordre ces deux conversations téléphoniques mélangées:

▶ Auriez-vous la gentillesse de lui transmettre un message?
▶ Oui, qui c'est?
▶ Ah, ça, c'est pas de chance!
▶ Allô! est-ce que je pourrais parler à Monsieur Lecoq s'il vous plaît?
▶ Oh, mais, quelle bonne surprise! Votre mari est-il là?
▶ C'est moi, Manuel.
▶ De Monsieur Martin, de la Maison de la Presse.
▶ Bof, j'ai tous les examens la semaine prochaine.
▶ Allô, Sylvie?
▶ C'est de la part de qui?
▶ Ah, Manuel, comment vas-tu?
▶ Mais bien sûr, monsieur Martin.
▶ Eh bien non, il vient de sortir à l'instant.
▶ Très bien, et toi, qu'est-ce que tu deviens?
▶ Ah, bonjour cher ami, ici Mme Lecoq.

B Maintenant, écoutez-les et vérifiez si vous avez trouvé les deux conversations. Qu'est-ce que vous remarquez?
C Imaginez comment se terminent ces deux conversations.

Invitation à *l'invention*

Variantes sur le téléphone:

Téléphone pour amoureux   *Téléphone pour écoiogistes*

Et maintenant à vous!

Trouvez des usages extraordinaires pour le téléphone.

Texte complémentaire : J. Tardieu, **Conversation** *(voir page 106).*

Les moyens pour mieux *communiquer par téléphone*

▶ Allô, j'entends très mal.

| Est-ce que | vous pouvez
tu peux | répéter?
parler plus fort?
parler plus lentement?
me rappeler? |

▶ Allô, | ne quittez pas!
ne coupez pas!

3ème Unité

Objectifs

- Se situer dans le temps.
- Exprimer la durée.
- Savoir demander et donner l'heure.

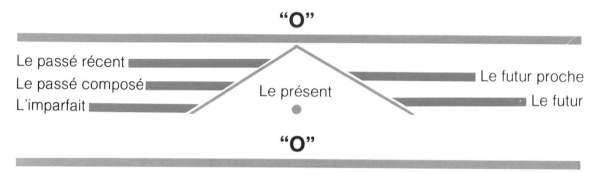

"O"

Le passé récent			Le futur proche
Le passé composé	**Le présent**		Le futur proche
L'imparfait	●		Le futur

"O"

1. Je dormais

2. Le téléphone a sonné

1
▶ Tu es allée à l'Olympia hier soir?
▷ Oh, ouais! C'était chouette!
▶ Qu'est-ce qu'il y avait?
▷ Un gala. On a vu plein de vedettes.

2
▶ Où avez-vous passé vos vacances?
▷ Dans les Alpes. Il neigeait tout le temps. C'était magnifique!

3
▶ Qu'est-ce que tu as fait pendant ton séjour en Suisse?
▷ Oh, c'est simple: je me levais à 7h/30; je me baignais dans la piscine de l'hôtel; je déjeunais et après je faisais du ski jusqu'à midi.

Activité 1

Regarde pages 27 et 28; on utilise un temps du passé que tu ne connais pas encore: écris dans ton cahier tous les verbes qui sont au passé composé et devine ceux qui sont à l'imparfait.

Exemple:

Passé composé	**Imparfait**
L'avion n'a pas décollé.	J'étais à Athènes.

Activité 2

Regarde les verbes à la fin du livre et complète ce tableau:

Présent	Passé composé	Imparfait	
il	tu	nous	(Arriver)
elle	nous	ils	(Dormir)
vous	ils	il	(Faire)
nous	je	on	(Ecouter)
tu	elles	vous	(Sonner)
ils	elle	nous	(Venir)
on	tu	je	(Aller)
je	vous	elles	(Etre)

Activité 3

Regarde le tableau de la page 28 et complète:

Exemple:

1 Je dormais, le téléphone a sonné.

2 Il _____ de la musique, tu _____ du bruit.
(écouter)   (faire)

3 Nous _____ au cinéma quand vous _____
(aller)   (arriver)

4 Je _____ à mon ami quand il _____
(parler)   (partir)

5 Le stade _____ vide, mais tout le monde _____
(être)   (arriver)

Douze heures quinze
ou
midi et quart
ou
minuit et quart
ou
zéro heure quinze
▼

Dix heures et demie
ou
dix heures trente
ou
vingt-deux heures trente
▼

Six heures vingt-deux
ou
dix-huit heures vingt-deux
▼

▲
Douze heures quarante-cinq
ou
une heure moins le quart
ou
zéro heure quarante-cinq

▲
Sept heures dix-sept
ou
dix-neuf heures dix-sept

Activité 4

Regarde l'agenda de Manuel ● Dis ce qu'il a fait et quand.

Exemple:

● Le dimanche 15 décembre, à midi, il est allé chez mémée pour lui souhaiter un bon anniversaire.

Activité 5

Regarde le calendrier de 1986 et réponds aux questions suivantes:

1. Le 14 Juillet (fête nationale) est un
2. Le 1ᵉʳ Mai (fête du travail) est un
3. La Toussaint, le 1ᵉʳ Novembre, est un
4. Combien de mercredis y a-t-il en janvier?
5. Combien de jours y a-t-il en février?
6. Combien de temps durent tes vacances de Noël?
   De quel jour à quel jour?

Activité 6

Les mois ● Ecoute et répète:

Janvier ● Février ● Mars ● Avril ● Mai ● Juin ● Juillet ● Août ● Septembre ● Octobre ● Novembre ● Décembre.

Activité 7

Ecoute et écris les dates de ces événements:

1. La fête nationale française est le
2. Molière est mort le
3. Victor Hugo est né le
4. L'homme a mis le pied sur la lune le
5. Christophe Colomb est parti pour l'Amérique le

Activité 8

Quelle heure est-il?

Pour répondre, utilise toutes les formes possibles.

Activité 9

Lis cette facture et réponds.

❶ Combien a coûté la course de ce taxi?

❷ Quelle est la date de ce déplacement?

❸ Quel est le lieu | de départ?
                    | d'arrivée?

❹ Cette course a eu lieu | le matin?
                          | l'après-midi?
                          | le soir?

Entre quelle heure et quelle heure?

❺ Combien coûte la prise en charge?

❻ Quel est le prix du kilomètre pour le tarif | A?
                                               | C?

❼ De quelle heure à quelle heure applique-t-on le tarif de nuit?

TAXIS PARISIENS

Reçu la somme de _47F50_ Date _30.3.83_

pour la course : Départ _Orly_   Arrivée _Concorde_

Heure de départ _12.4.25_ Heure d'arrivée _13.4.05_

N° minéralogique obligatoire :

8467 GR94

Prise en charge 8 f.		TARIFS APPLICABLES	
TARIF A : 2,09 par km TARIF B : 3,27 par km TARIF C : 4,40 par km Heure d'attente : 53,00 f.		JOUR 6 h.30 - 22 h.	NUIT 22 h. - 6 h.30
ZONE PARISIENNE	Paris, Boulevard périphérique compris	A	B
ZONE SUBURBAINE	Départements de : Hauts-de-Seine, Seine-St-Denis, Val-de-Marne	B	C
AU DELA DE LA ZONE SUBURBAINE	I. le taxi revient à vide	C	C
	II. le client garde le taxi pour le retour	A	B

Aucune indemnité de retour n'est jamais due. (suppléments au dos)

Le tarif "B" est applicable dans la zone parisienne les dimanches et jours fériés quelle que soit l'heure.

Activité 10

Ce, Cet, Cette et **Ces** ● Ça te dit quelque chose? ● Vérifie dans la grammaire (page 119) et maintenant complète:

_____ enfant veut acheter _____ avion, mais _____ semaine il n'a plus d'argent.
_____ journal et _____ livres sont à _____ professeur.
Tu te souviens si ___ _revue et_ ___ _photos ont été faites_ ___ _hiver?_

Trouve les intrus

1️⃣ Pomme de terre ● salade ● tomate ● fromage ● haricots verts.

2️⃣ Table ● chaise ● téléphone ● lit ● fauteuil.

Invitation à *la chanson*

IL Y AVAIT UN JARDIN

C'est une chanson pour les enfants
qui naissent et qui vivent entre l'acier
et le bitume, entre le béton et l'asphalte
et qui ne sauront peut-être jamais
que la terre était un jardin.

Il y avait un jardin qu'on appelait la terre
il brillait au soleil comme un fruit défendu
non ce n'était pas le paradis ni l'enfer
ni rien de déjà vu ou déjà entendu.

Il y avait un jardin, une maison, des arbres
avec un lit de mousse pour y faire l'amour
et un petit ruisseau roulant sans une vague
venait le rafraîchir et poursuivait son cours.

Il y avait un jardin grand comme une vallée
on pouvait s'y nourrir à toutes les saisons
sur la terre brûlante ou sur l'herbe gelée
et découvrir des fleurs qui n'avaient pas de nom.

Il y avait un jardin qu'on appelait la terre
il était assez grand pour des milliers d'enfants
il était habité jadis par nos grands-pères
qui le tenaient eux-mêmes de leurs grands-parents.

Où est-il ce jardin où nous aurions pu naître
où nous aurions pu vivre insouciants et nus
où est cette maison toutes portes ouvertes
que je cherche encore et que je ne trouve plus.

Paroles et musique de Georges Moustaki
© 1971. Paille musique.

Les moyens pour mieux *se situer dans le temps*

- Le matin,
- L'après-midi, | je vais à la Foire.
- Le soir,

- Hier | matin, après-midi, soir, | je suis allé à la Foire.

- Demain | matin, après-midi, soir, | j'irai à la Foire.

- La nuit, je fais la fête.
- Il se lève **tôt** (6 h 30) et déjeune **tard** (14 h 30).

4ᵉᵐᵉ Unité

Le téléphone, pio
techniques d'av

« Je me suis demandé si la parole elle-mê
pourrait pas être transmise par l'électricité
mot, si l'on ne pourrait pas parler de Vie
faire entendre à Paris. La chose est prati

Quand Charles Bourseul, télégr
ces paroles prémonitoires
de quelle inventio
Il fallut près d
n siècle

Objectifs

Se situer dans le temps.
Exprimer la durée.
Savoir demander et donner l'heure.

Et maintenant, qu'est-ce que tu sais faire?

Activité 1

Interroger ● Demander des informations ● Transforme selon le modèle:

Exemple:

▶ Tu travailles? ▷ Est-ce que tu travailles?

▶ Il habite à Rome? ▷
▶ Partons-nous en vacances? ▷
▶ Que sais-tu? ▷
▶ Que fais-je? ▷
▶ Où vas-tu? ▷

Activité 2

Trouve des questions:

Exemple:

▷ Ils travaillent. ▶ Qu'est-ce qu'il font?

▷ Elle écoute la musique. ▶
▷ Nous allons au travail. ▶
▷ Sa soeur a écrit à Pierre. ▶
▷ Je pars pour Marseille en train.▶
▷ Suzanne habite à Poitiers. ▶

Activité 3

Demande toutes les informations possibles pour compléter cette affiche qui a été déchirée.

Et maintenant compare tes questions avec celles de tes camarades.

Activité 4

Commencer une lettre ● Qu'est-ce que tu mets quand tu écris:

A à ton ami Manuel?
B au père de Manuel?

Activité 5

Terminer une lettre ● Qu'est-ce que tu peux mettre quand tu écris:

A à ton amie Sophie.
B au directeur de l'Office du Tourisme.

Activité 6

Choisis l'une de ces trois demandes et réponds-y.

S.O.S

AMITIE

J'ai 14 ans. Je désire correspondre avec des filles et des garçons de 13 à 16 ans. J'aime la musique, les animaux, le cinéma, le sport et les sorties. Muriel ▬▬▬ 07110 Largentière.

J'ai 15 ans. Je désire correspondre avec des filles et garçons de 15 à 17 ans de tous pays parlant anglais ou français. J'adore les années 50. Florence ▬▬▬ 23, rue ▬▬▬ 95460 Ezanville.

J'ai 14 ans. Je désire correspondre avec des filles et des garçons de 12 à 18 ans, habitant en France. J'aime le sport, la musique, le cinéma. Joindre photo, réponse assurée. Lydie ▬▬▬ 43, rue ▬▬▬ 78460 Carrière-sur-Seine.

Activité 7

Avoir une conversation téléphonique ● Complète:

▷
▷ *Oui, c'est moi.*

▷
▷ *Je suis arrivé hier.*

▷
▷ *Oui, je repars demain à 8 heures.*
   TAC-TAC-TAC

▷
▷ *D'accord, je te répète l'heure: à huit heures.*

▷
▷ *C'est ça, à demain.*

Activité 8

A quoi sert ce document? ● Complète-le.

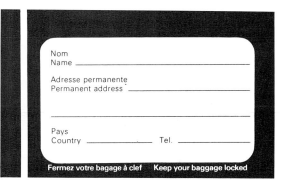

Nom
Name _____

Adresse permanente
Permanent address _____

_____

Pays
Country _____ Tel. _____

Fermez votre bagage à clef   Keep your baggage locked

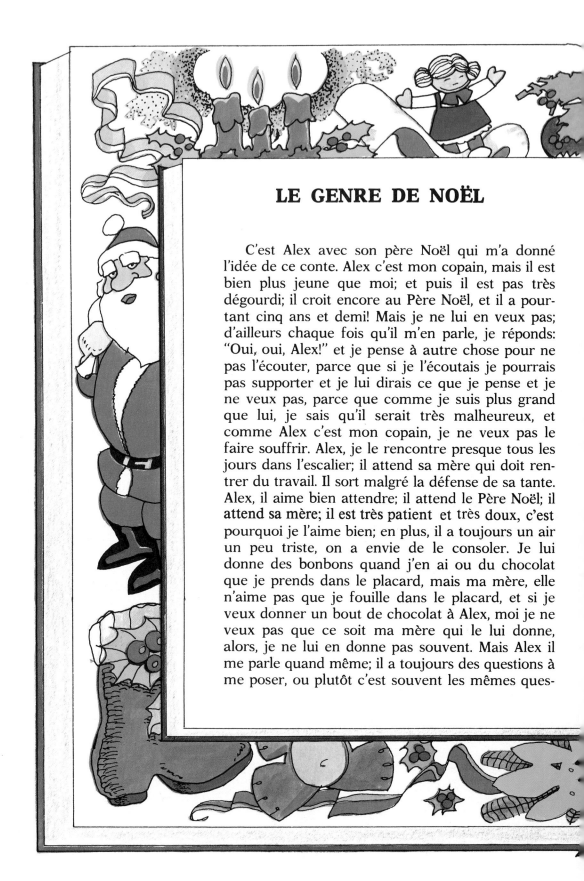

LE GENRE DE NOËL

C'est Alex avec son père Noël qui m'a donné l'idée de ce conte. Alex c'est mon copain, mais il est bien plus jeune que moi; et puis il est pas très dégourdi; il croit encore au Père Noël, et il a pourtant cinq ans et demi! Mais je ne lui en veux pas; d'ailleurs chaque fois qu'il m'en parle, je réponds: "Oui, oui, Alex!" et je pense à autre chose pour ne pas l'écouter, parce que si je l'écoutais je pourrais pas supporter et je lui dirais ce que je pense et je ne veux pas, parce que comme je suis plus grand que lui, je sais qu'il serait très malheureux, et comme Alex c'est mon copain, je ne veux pas le faire souffrir. Alex, je le rencontre presque tous les jours dans l'escalier; il attend sa mère qui doit rentrer du travail. Il sort malgré la défense de sa tante. Alex, il aime bien attendre; il attend le Père Noël; il **attend sa mère**; il est très patient et très doux, c'est pourquoi je l'aime bien; en plus, il a toujours un air un peu triste, on a envie de le consoler. Je lui donne des bonbons quand j'en ai ou du chocolat que je prends dans le placard, mais ma mère, elle n'aime pas que je fouille dans le placard, et si je veux donner un bout de chocolat à Alex, moi je ne veux pas que ce soit ma mère qui le lui donne, alors, je ne lui en donne pas souvent. Mais Alex il me parle quand même; il a toujours des questions à me poser, ou plutôt c'est souvent les mêmes ques-

tions. Aussi je change de réponse. C'est pourquoi je lui raconte des histoires. Bon, je crois que je peux commencer mon conte, car je ne voulais pas parler d'Alex, mais d'un conte de Noël, même si c'est Alex qui me l'a fait trouver.

"Quel est le genre de Noël?" Quand mon prof a posé la question, je n'avais pas compris qu'il voulait qu'on réponde par "féminin ou masculin". J'ai tout de suite pensé à Alex qui attendait son père Noël et j'ai dit sans le faire exprès; je n'ai pas fait attention que je le disais: "un drôle de genre!" Toute la classe a ri, pas moi, le prof non plus, et j'ai encore moins ri après avec mon zéro pour avoir fait rire la classe. Mais j'imaginais ce bonhomme de Noël qui fait attendre le pauvre Alex pour rien puisqu'il ne vient pas! qu'il n'existe que dans des dessins. J'imaginais un bonhomme comme un clochard, comme un bohémien; je ne comprends pas d'ailleurs pourquoi on peut avoir envie de le voir, comment on peut l'attendre, ce vieux! J'ai raconté tout ça à Alex, le soir quand je suis rentré et qu'il attendait. Pour une fois que je pouvais lui parler de son Père Noël! Et c'est là qu'il m'a répondu: "Pourquoi tu dis Le Noël? Ma mère, elle dit toujours LA Noël, et moi je pense: MA Noël, c'est comme si je disais Manuel!". J'ai pas voulu discuter, j'avais déjà eu un zéro, c'était plus la peine, et puis il est gentil, Alex, même s'il ne comprend pas ce que pourrait dire mon prof! C'est peut-être ça un conte de Noël!

Activité 9

Comparer • Utilise ces adjectifs (attention à l'accord!) pour comparer ces personnages ou ces objets • Tu peux exprimer la supériorité, l'égalité, ou l'infériorité.

Grand • Petit • Vieux (vieille) • Jeune • Neuf (ve) • Cher • Eloigné • Proche • Riche • Pauvre.

Activité 10

Réponds librement et compare ensuite avec la réponse enregistrée.

- Tu te lèves à quelle heure?
- Tu pars en vacances quand?
- A quelle heure est-ce que tu vas à l'école?
- Quelle est l'heure de ton programme préféré?
- Dans ton pays, on se couche à quelle heure?
- Quel est le mois le plus chaud de l'année?

Activité 11

Se situer dans le temps.

1 A quelle heure est le spectacle de A. Lamontagne et S. Lelièvre?

2 Quelle est la durée du spectacle?

3 Combien de temps vont-ils rester au Théâtre de la Ville?

4 Quelles sont les dates de passage du spectacle "Les Mummenschanz"?

Activité 12

Quelle heure est-il? ● Utilise toutes les formes que tu connais.

Activité 13

Maintenant, nous sommes le lundi 4 février et il est midi ● Regarde l'agenda de la maman de Manuel et dis ce qu'elle a fait ou ce qu'elle fera ● N'oublie pas d'utiliser les expressions du bas de la page 33.

Exemple:

● Hier après-midi à 16 heures, elle est allée au cinéma avec Roger.

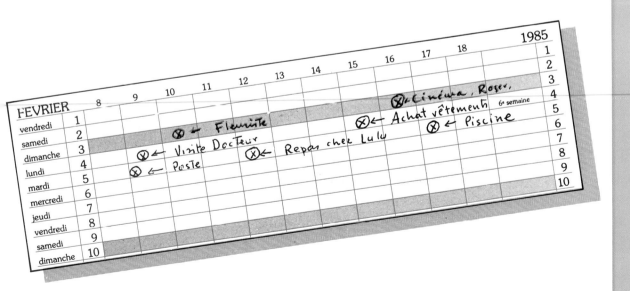

5ème Unité

1 kilogramme

1 centimètre

1 litre

Km 6

1 kilomètre

Objectifs

- Exprimer la quantité.
- Exprimer le poids.
- Exprimer les mesures.
- Exprimer le prix.

Au marché

▶ Pas d'alcool?
Pas de cigarettes?
Pas d'appareils?
Pas de devises?

Alors, passez!

▶ Il me faut du sucre, de l'huile,
du chocolat, du thé.

Et puis... donnez-moi aussi
de la crème fraîche.

▶ Vous voulez **du** pain?
▶ Madame prendra **de la** viande?
▶ Vous mangerez **des** fruits?
▶ Et **du** café, vous **en** prendrez?
▶ Ah, nous voulons **de l'**eau.

▷ Oui, on **en** mange tous.
▷ J'**en** prendrai volontiers.
▷ Bien sûr, apportez-**en**.
▷ Non, merci, on n'**en** prend jamais.
▷ D'accord, je vous **en** apporte une bouteille.

Activité 1

Quand on ne peut pas préciser la quantité, on utilise les articles partitifs ● Observe la page 44 ● Peux-tu compléter ce petit tableau?

Du	pain		pains
De l'		**Des**	
De la			

On peut utiliser aussi les adverbes:
● un peu de
● assez de
● beaucoup de
● trop de

Activité 2

Observe le dialogue au restaurant, page 44, et écris tous les mots qui sont remplacés par **en**.

Qu'est-ce que tu remarques?

Activité 3

Regarde les tableaux de verbes à la fin du livre et complète:

● (vouloir) ▶ Vous _____ de la soupe? ▷ Oui, j'en _____
● (prendre) ▶ Tu _____ des bonbons? ▷ Oui, j'en _____
● (boire) ▶ Vous _____ de l'eau? ▷ Oui, nous en _____
● (manger) ▶ Tu _____ du chocolat? ▷ Oui, j'en _____

Activité 4

On te propose et tu acceptes.

Exemple:
▶ Tu veux du gâteau?   ▷ Oui, j'en veux bien.

▶ Vous voulez de la soupe?   ▷
▶ Tu prends du café?   ▷
▶ Tu bois de l'eau?   ▷
▶ Vous prenez des fruits?   ▷
▶ De la salade, vous en voulez?   ▷
▶ Prenez des bonbons!   ▷
▶ Du gâteau?   ▷

Une recette de Manuel

SALADE D'ORANGES

Préparation

20 minutes (4 heures à l'avance).

Cuisson du sirop

5 minutes environ.

Pour 6 à 8 personnes

8 oranges.
200 g de raisins noirs.
250 g de sucre.

Lavez soigneusement la peau des oranges. Coupez-en deux pour garnir le plat. Epluchez les autres, retirez la peau de chaque quartier. Recueillez tout le jus. Disposez les rondelles autour du plat, les quartiers et le raisin au centre.

Couvrez avec le reste des rondelles.

Arrosez avec le jus recueilli, faites bouillir 5 minutes le sucre avec un verre d'eau, et versez-le sur les oranges en les arrosant. Mettez au réfrigérateur; servez froid mais non glacé.

Ah, vous pouvez aussi décorer avez quelques grains de raisin.

Activité 5

Pour réaliser la recette de la page 46, on vous donne un certain nombre de con-seils ● Reconnaissez-vous la forme verbale utilisée? ● Relevez tous les verbes qui sont à la même forme.

Activité 6

Vous avez décidé de faire cette recette et vous expliquez à un camarade ce que vous faites.

Exemple: ● Je lave soigneusement la peau des oranges; je coupe...

Activité 7

Qu'est-ce qu'il faut pour faire cette recette? ● Utilise les partitifs.
Exemple: ● Il faut du...

Activité 8

Réponds en utilisant en ● Pour faire la salade d'oranges
Exemple:
▶ Il faut du sel?   ▷ **Non, il n'en faut pas.**
▶ Il faut du sucre?   ▷ **Oui, il en faut.**

▶ Il faut du lait?   ▷
▶ Il faut de l'eau?   ▷
▶ Il faut du café?   ▷
▶ Il faut de la farine?   ▷
▶ Il faut du chocolat?   ▷
▶ Il faut des fruits?   ▷
▶ Il faut des pommes de terre?   ▷
▶ Il faut de l'huile?   ▷
▶ Il faut du raisin?   ▷

Activité 9

A Fais correspondre noms et dessins:

● fourchette   ● verre
● cuiller   ● serviette
● couteau   ● carafe
● assiette   ● petite cuiller

B Pendant trois minutes, observe attentivement ces mots nouveaux, puis ferme ton livre et essaie d'en écrire le plus grand nombre possible dans ton cahier ● Attention à l'orthographe.

Activité 10

Consulte la carte de la page 49 et celle de la page 65 et attribue à chacune des grandes régions suivantes les fromages qui leur correspondent.

BRETAGNE
BASSIN PARISIEN
NORMANDIE
MASSIF CENTRAL
POITOU-CHARENTES

Activité 11

Vrai ou **faux?** ● Les prix.

	0	1	2	3	4	5	6	7	8	9	10
Vrai											
Faux											

Ecoute les affirmations que fait ton professeur, consulte ce document et choisis la réponse correcte.

A l'occasion des fêtes de fin d'année

TOURISME S.N.C.F. VOUS PROPOSE DIFFÉRENTS VOYAGES

POUR NOEL : Deux jours en PROVENCE : **1.450 F.**

TROIS JOURS : NOEL EN GASCOGNE : **2.320 F.** NOEL A ROME : **2.800 F.**

NOUVEL AN : Deux jours NOUVEL AN en ALSACE : **1.450 F.**

TROIS JOURS : NOUVEL AN à BRUXELLES : **1.145 F.** NOUVEL AN à VENISE : **2.227 F.**

QUATRE JOURS : NOUVEL AN en HOLLANDE : **2.755 F.**

DOUZE JOURS : NOEL et NOUVEL AN en AUTRICHE : **3.320 F.**

SEIZE JOURS : CROISIÈRE DE NOEL et NOUVEL AN à bord de l'« AZUR » de la Cie PAQUET (MAROC, SÉNÉGAL, CANARIES, BALÉARES) de **13.690 F** à **25.670 F.**

RENSEIGNEMENTS ET INSCRIPTIONS : dans les agences TOURISME S.N.C.F. : 127, Champs-Elysées - 16, bd des Capucines - 11, bd des Batignolles - gares S.N.C.F. de PARIS - gares R.E.R. ; et par correspondance B.P. 62 - 0875362 - PARIS CEDEX 08.

Activité 12

Ecoute à nouveau les propositions de l'**Activité 4** et refuse.

Exemple:

▶ Tu veux du gâteau?   ▷ Non, merci, je n'en veux pas.

Activité 13

Cherchez une recette facile à réaliser et que vous aimez bien ● En petits groupes, préparez les explications nécessaires pour que tous vos camarades puissent la faire.

Invitation à **la gastronomie**

BRJ BP 511 BRIVE

Les moyens pour mieux **exprimer la quantité**

Le poids
| un gramme.
| un kilo = 1 000 g
| une livre = 500 g
| une demi-livre = 250 g

La capacité **:** 1 litre.

La distance
| 1 centimètre = 10 millimètres.
| 1 mètre = 100 centimètres.
| 1 kilomètre = 1 000 mètres.

Texte complémentaire : A. Chavée, **L'éléphant** *(voir page 106).*

6ème *Unité*

© A. Franquin

Objectifs

- Exprimer la possession.
- Raconter au passé.
- Exprimer son opinion.

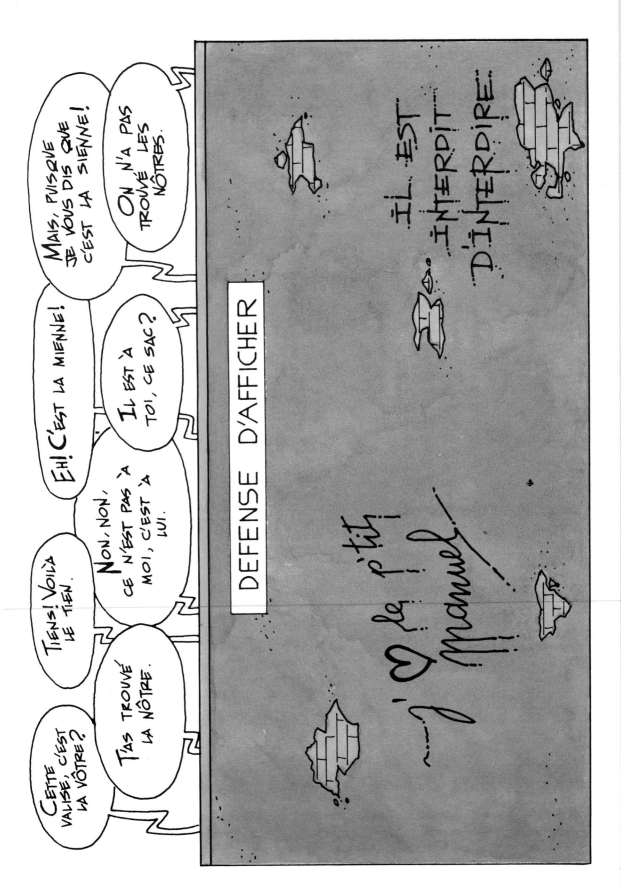

Un seul possesseur	Ma → montre Mon → livre	Mes → montres livres		moi
	Ta → montre Ton → livre	Tes → montres livres		toi
	Sa → montre Son → livre	Ses → montres livres	C'est à →	lui (elle)
Plusieurs possesseurs	Notre → montre livre	Nos → montres livres		nous
	Votre → montre livre	Vos → montres livres		vous
	Leur → montre livre	Leurs → montres livres		eux (elles)

On dira: **mon ami - mon amie** ● **ton ami - ton amie** ● **son ami - son amie**

Activité 1

Observez ces deux situations et trouvez pourquoi on utilise:

A **Sa, son** et **ses** dans le premier cas.
B **Leur, leur** et **leurs** dans le deuxième cas.

❶ *Voilà Paul, **sa*** 🚗 *, **son*** 🚲 *et **ses*** 📚

❷ *Voilà Sylvie et Daniel, **leur*** 🚗 *, **leur*** 🚲 *et*

leurs 📖

la possession

C'est →		Ce sont →	
la mienne	la nôtre	les miennes	les nôtres
le mien	le nôtre	les miens	
la tienne	la vôtre	les tiennes	les vôtres
le tien	le vôtre	les tiens	
la sienne	la leur	les siennes	les leurs
le sien	le leur	les siens	

Activité 2

Trouve la question.
Exemple:

▷ Oui, c'est le mien.　　　　　　▶ C'est à toi?

▷ Oui, ce sont les nôtres.　　　　▶
▷ Non, ce n'est pas la sienne.　　▶
▷ Non, ce ne sont pas les leurs.　▶
▷ Oui, c'est le tien.　　　　　　　▶
▷ Non, ce ne sont pas les nôtres.　▶
▷ Oui, c'est la nôtre.　　　　　　▶

Activité 3

Réponds par oui ou par non.
Exemples:

▶ C'est ta soeur?　　　　　　　　▷ Oui, c'est la mienne.
▶ C'est votre maison?　　　　　　▷ Non, ce n'est pas la nôtre.

▶ C'est sa bicyclette?　　　　　　▷ Oui,
▶ Ce sont vos amis?　　　　　　　▷ Non,
▶ Ce sont leurs cousins?　　　　　▷ Oui,
▶ C'est ta classe?　　　　　　　　▷ Oui,
▶ C'est ton livre?　　　　　　　　▷ Non,
▶ Ce ne sont pas tes cadeaux?　　▷ Si,
▶ Ce sont vos valises?　　　　　　▷ Oui,

Activité 4

Lis et écoute.

C'était un lundi de décembre. Noël approchait doucement. Il faisait froid. Le ciel était gris, gris et triste. Dans la classe, près du radiateur, Manuel sommeillait depuis un bon moment. Vers dix heures, il a ouvert un œil et alors, là, il a explosé de joie: "Il neige!!!". Tout le monde a sursauté. En quelques secondes, toute la classe est devenue folle. Le pauvre M. Dupuis avait beau menacer: "Asseyez-vous immédiatement, ou vous n'aurez pas de récréation!!", personne ne l'entendait. Tous les petits visages se collaient aux vitres. C'était merveilleux, il neigeait. Alors le maître a eu la grande inspiration du jour: "Tout le monde dehors!!!". Et là, oui, on l'a entendu.

*Texte complémentaire : G. Apollinaire, **La cravate et la montre** (voir page 107).*

Activité 5

Regarde page 54 ● Peux-tu remettre en ordre les images?

Image **1**

Image **2**

Image **3**

Image **4**

Image **5**

Image **6**

Activité 6

Relis la petite histoire et écris une phrase pour chacune des images.

A

B

C

D

E

F

Activité 7

A Pour raconter au passé, on a utilisé deux temps ● Lesquels?

B Fais une liste des verbes utilisés à chaque temps.

Activité 8

Et maintenant à vous ● Racontez au passé ce qui est arrivé à Manuel.

Chaque groupe lit son histoire à la classe.

Activité 9

Complète avec des noms et des prénoms l'arbre généalogique de ta famille.

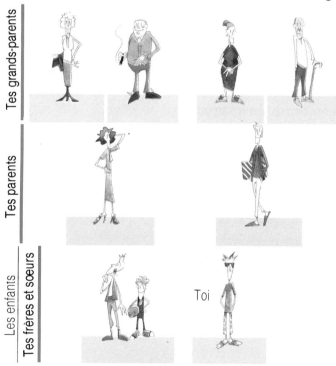

Activité 10

▨ Pendant quelques minutes, prépare des informations sur les membres de ta famille: nom, prénom, âge, domicile, profession, etc.

▨ Maintenant, vous devez échanger ces informations:

Exemples:

▶ Qu'est-ce qu'il fait, ton grand-père?   ▷ Il est mécanicien.

▶ Quel âge elle a, ta mère?   ▷ Elle a 35 ans.

Invitation au *cinéma*

Maintenant, allez dans les cinémas de votre ville, regardez aussi les journaux et les revues de votre pays (ou des pays francophones), et les programmes de la télévision. Pouvez-vous faire un collage avec des titres de films français, des noms et des photos de vedettes françaises, metteurs en scène, etc.?

Les moyens pour mieux *exprimer l'opinion*

▶ Moi, je crois que …
▶ Moi, je pense que …
▶ On dirait que …
▶ Pour moi, c'est …
▶ Pour moi, il y a …
▶ A mon avis, c'est …
▶ A mon avis, il y a …
▶ Moi, je dirais que …
▶ Moi, je préfère …
▶ Moi, j'aime mieux …

● Tu vas écouter différentes musiques: dis celle que tu préfères.

7ème Unité

Pardon, monsieur l'agent. Vous pouvez me dire où trouver une boîte aux lettres, une cabine téléphonique, l'Office du Tourisme, le Consulat du Mexique et l'Ambassade d'Irlande? Ah! et des toilettes, s'il vous plaît.

Objectifs

- Se situer dans l'espace.
- Demander son chemin.
- Indiquer le chemin à suivre.
- Prendre un billet de train.

▶ Monsieur, vous pouvez me dire à quelle heure il y a un train pour...

▷ Mais, mon pauvre garçon, vous voyez bien que je n'ai pas le temps! Regardez les horaires au fond du hall, à droite.

HORAIRES			
DESTINATION	VOIE	QUAI	DEPART
Bordeaux	1	1	12 h 12
Bourges	4	3	12 h 45
La Châtre	3	2	13 h 15
Tours	2	1	13 h 32

▶ Donnez-moi un billet pour la Châtre à 13 h 15.
▷ Aller?
▶ Pardon?
▷ Oui, aller simple ou aller et retour?

▶ Donnez-moi un aller simple, s'il vous plaît.
▷ En 1 ère ou en 2 ème classe?
▶ 2 ème classe.
▷ Bien, monsieur. C'est 83 F.

▶ *Tu viens d'Espagne?*
▷ *Oui, j'en viens...*

▶ *Paul est resté à Marseille?*
▷ *Oui, il y passe ses vacances.*

▶ *Tu vas à la Mairie?*
▷ *Oui, oui, j'y vais tout de suite.*

Et maintenant...

Une page de publicité.

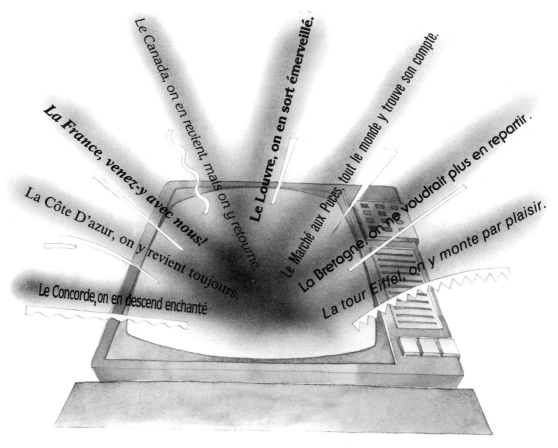

Activité 1

Observe la page 60 ● Qu'est-ce que les mots **en** et **y** remplacent?

Exemple: J'**en** viens ———▶ **en** = **d'**Espagne.

Activité 2

Regardez la page de publicité et transformez selon les modèles:

Exemples: ● La France, venez-y avec nous.   ○ Venez en France avec nous.
           ● La Bretagne, on en sort émerveillé.   ○ On sort émerveillé de la Bretagne.

Activité 3

Regarde les tableaux grammaticaux numéros 5 et 6 des pages 118 et 119, et complète les phrases suivantes :

● Allez plus souvent   bibliothèque.
● Je vais   Lyon.
● Pierre revient   Nice.
● Cette année, nous irons en vacances   Brésil.
● Sophie est allée skier   montagne.
● Ce tableau vient   chez mon oncle.
● Je travaille   centre de la ville.
● Nous revenons   Midi de la France.
● Paris est la capitale   la France.

Activité 4

Complète avec en ou y.

● La bibliothèque, allez-   plus souvent.
● Lyon, j'   vais.
● Nice? Pierre   revient.
● Le Brésil ? Cette année, nous irons   passer nos vacances.
● Le centre de la ville? J'   travaille.
● Le Midi de la France? Nous   revenons.
● La France? Paris   est la capitale.
● Le Bois de Boulogne? On   va tous les dimanches.

Activité 5

En petits groupes, observez attentivement les phrases de la page 60 et celles des **Activités 2** et **4** ● Pouvez-vous dire si **y** et **en** se placent toujours avant le verbe?

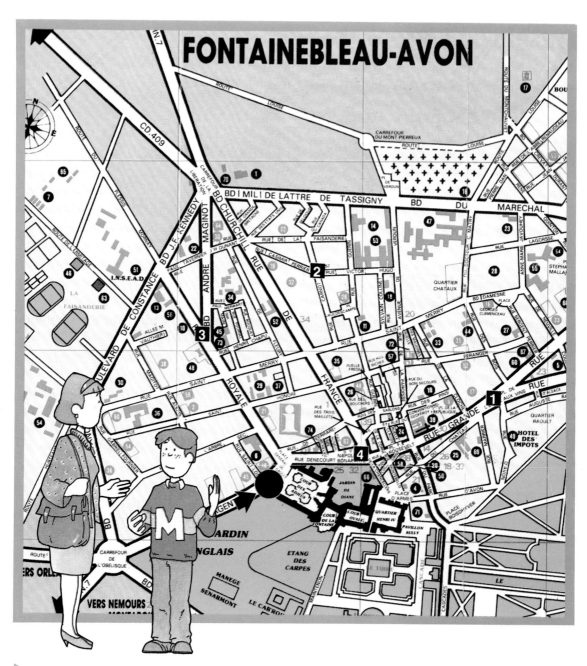

▶ Pardon, la rue de Belgique, s'il vous plaît?

▷ La rue de Belgique! C'est assez loin!

Pour y aller, traversez la place du Général de Gaulle **et** prenez la rue de Ferrare jusqu'à la rue de France. **Là**, tournez à gauche **et** remontez la rue **jusqu'au** troisième feu rouge. Quand vous y serez, tournez à droite dans la rue de la Faisanderie. **Après,** c'est facile; vous empruntez la rue du Canada qui est à gauche. **Eh bien,** vous êtes arrivé; la première à gauche, c'est la rue de Belgique!

▶ Merci beaucoup, Madame...
Oh! Je ne vais jamais y arriver.

Activité 6

A Ecoute le dialogue de la page 62 ● Peux-tu suivre l'itinéraire conseillé sur le plan?
B Si tu remarques une erreur, indique laquelle.

Activité 7

Relisez attentivement les indications données ● A quoi servent les mots écrits en caractères gras?

Activité 8

Faites des petits groupes ● Choisissez une combinaison sur le tableau ci-dessous.
Exemple:
A-4: Cela signifie: *comment faire pour aller à l'église en partant du nº 4?*

Départ	1	2	3	4
A. L'église				
B. Cour des Adieux				
C. Place d'Armes				
D. Carrefour de la Libération				

Chaque groupe demande son chemin et donne les indications demandées par un autre groupe.
N'oubliez pas de consulter la page 65.

Activité 9

Ecoute et suis attentivement l'itinéraire que t'indique ton professeur ● Où est-ce que tu arrives?

Jeu

Un peu d'urbanisme

Reproduisez cette grille dans votre cahier:

	1	2	3	4	5
A					
B					
C					
D					
E					

Et maintenant faites une liste des installations et des bâtiments que vous pouvez trouver dans une ville.

Exemple: ● Un stade, des cinémas, une école, etc.

Vous devez en trouver au moins dix. Quand vous avez fini, allez voir les règles du jeu, page 114.

Activité 10

Choisis une de ces petites annonces et réponds-y.

LES PETITES ANNONCES

RECHERCHES EN TOUT GENRE

286-6. REDACTION. Michèle, de Lagny-sur-Marne (77), aimerait recevoir plusieurs rédactions sur le sujet «Raconter la vie d'une rose» Pour comparer.
286-7. DANSE CLASSIQUE. Pénélope, de Venzolasca (20), recherche de la documentation sur la danse classique.
286-8. POUR LES MISSIONNAIRES DU ZAIRE. Marie-Elisabeth, de Nancy (54), recherche de toute urgence des livres ou cahiers d'anglais 1ère ou 2e langue, neufs ou vieux, périmés ou non, de tous les niveaux, pour les missionnaires partant enseigner au Zaïre.
286-9. BOUCLES D'OREILLES. Claire, de Candas (80), recherche quelques paires de boucles d'oreilles pour compléter sa collection.
286-10. LA GUERRE DES ETOILES. Marie-Odile, de Nantes (44), recherche toutes sortes de documents sur le film «La guerre des Etoiles».
286-11. VOILE. Edith, d'Ollioules (83), recherche photos et posters sur la voile et les planches de saut.
286-12. BEAUTE ! BEAUTE ! Caty, de Domfront (61), recherche échantillons de maquillages, de parfums et de shampooings.
286-13. LE VIRGINIEN. Isabelle, de Cazères-sur-Garonne (31), recherche posters, photos et tout autre document sur les principaux acteurs ayant joué dans le Virginien.
286-14. CARTES POSTALES. Nathalie, de Châlon-sur-Saône (71), recherche cartes postales en tout genre.
286-15. VOITURES. Isabelle, de Vineuil (41), recherche des images et des posters représentant des voitures anciennes et récentes.

Et maintenant à vous! Rédigez des petites annonces et faites-en un panneau que vous mettrez dans la classe. Bonne chance!

OKAPI, n.° 296 (31-X-83).

Activité 11

Choisissez une destination sur les horaires de la page 59 et demandez votre billet de train

Invitation au *tourisme*

1. PARIS ET REGION PARISIENNE
2. ILE-DE-FRANCE
3. NORD
4. PICARDIE
5. NORMANDIE
6. BRETAGNE
7. CENTRE
8. PAYS DE LA LOIRE
9. POITOU-CHARENTES
10. LIMOUSIN
11. AQUITAINE
12. MIDI-PYRENEES
13. CHAMPAGNE
14. ALSACE
15. LORRAINE
16. BOURGOGNE
17. AUVERGNE
18. FRANCHE-COMTE
19. VALLEE DU RHONE
20. SAVOIE-DAUPHINE
21. LANGUEDOC - ROUSSILLON
22. PROVENCE - COTE-D'AZUR
23. RIVIERA - COTE-D'AZUR
24. CORSE

Ecrivez aux ambassades des pays francophones dans votre pays et demandez-leur des dépliants touristiques. Découpez les photos et faites un collage pour inviter vos camarades d'autres classes à visiter ces pays. Vous pouvez créer des slogans publicitaires en vous inspirant de ceux de la page 60.

Texte complémentaire : P. Vincensini, **Toujours et Jamais** *(voir page 108).*

Les moyens pour mieux *indiquer le chemin à suivre*

▶ Tournez au feu | à droite.
| à gauche.
▶ Prenez la première rue à droite.
▶ Passez devant l'église.
▶ Continuez tout droit.
▶ Allez jusqu'à la place du Marché.
▶ Descendez les escaliers.
▶ Montez la rue de l'Enfer.

8ème Unité

Au march

RCHE - PUBLIC
PARKING INTERDIT
- VENDREDI - DIMANCHE

LAI
1 litre

Tes grands-parents

DANS MES BRAS, MA GRANDE!

LES PETITES ANNONCES

RECHERCHES EN TOUT GENRE

286-6. REDACTION. Michèle, de Lagny-sur-Marne (77), aimerait recevoir plusieurs rédactions sur le sujet «Raconter la vie d'une rose» Pour comparer.
286-7. DANSE CLASSIQUE. Pénélope, de Venzolasca (20), recherche de la documentation sur la danse classique.
286-8. POUR LES MISSIONNAIRES DU ZAIRE. Marie-Elisabeth, de Nancy (54), recherche de toute urgence des livres ou cahiers ... 1ère ou 2e langue, ... vieux, périmés ou ... les niveaux, ...ionnaires par-... Zaïre.
...tes sortes de documents sur le film «La guerre des Etoiles».
286-11. VOILE. Edith, d'Ollioules (83), recherche photos et posters sur la voile et les planches de saut.
286-12. BEAUTE ! BEAUTE ! Caty, de Domfront (61), recherche échantillons de maquillages, de parfums et de shampooings.
286-13. LE VIRGINIEN. Isabelle, de Cazères-sur-Garonne (31), recherche posters, photos et tout autre document sur les principaux acteurs ayant joué dans le Virginien.
286-14. CARTES POSTALES. Nathalie, de Châlon-sur-Saône (71), recherche cartes postales en tout genre.
286-15. VOITURES. Isabelle, de Vineuil (41), recher-... des images et des pos-... représentant des voitu-... ...nes et récentes.

Et maintenant, qu'est-ce que tu sais faire?

Activité 1

Exprimer la quantité (quand on ne peut pas la préciser) ● Complète:

*Pour faire un gâteau, il faut _____ farine, _____ sel, _____ eau, _____ beur-
re, _____ oeufs, _____ sucre, un peu _____ temps et beaucoup _____
patience!*

Activité 2

Transforme selon le modèle:
Exemple:

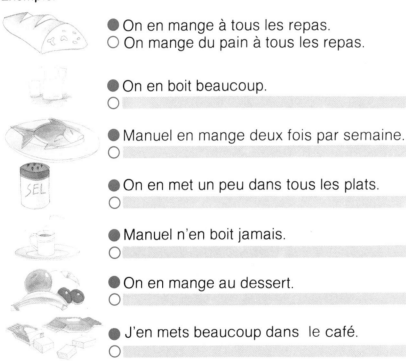

● On en mange à tous les repas.
○ On mange du pain à tous les repas.

● On en boit beaucoup.
○ _____

● Manuel en mange deux fois par semaine.
○ _____

● On en met un peu dans tous les plats.
○ _____

● Manuel n'en boit jamais.
○ _____

● On en mange au dessert.
○ _____

● J'en mets beaucoup dans le café.
○ _____

Activité 3

Réponds:
Exemple:

▶ Tu veux du vin?   ▷ Non, merci, je n'en veux pas.

▶ Tu prends du café?   ▷ Oui, _____
▶ Elle boit du lait?   ▷ Non, _____
▶ Il met beaucoup de sucre?   ▷ Oui, _____
▶ Pierre mange de la viande?   ▷ Non, _____
▶ Tu mets de l'huile d'olive dans la salade?   ▷ Oui, bien sûr! _____
▶ As-tu assez d'argent?   ▷ Non, _____

Activité 4

Complète:

_____ = 1000 mètres.
1/2 livre = _____
100 _____ = 1 mètre.
_____ = 1 tonne.
10 décilitres = _____

Activité 5

Recette: *Crêpes.*
Ecoute bien ton professeur et complète avec les quantités d'ingrédients nécessaires:

_____ *farine,* _____ *oeufs,* _____ *sel,* _____ *lait,*
_____ *eau,* _____ *huile,* _____ *sucre,* _____ *ou*
_____ *confiture.*

Activité 6

Exprimer la possession ● Peux-tu les présenter comme dans l'exemple?
Exemple:

● *Je vous présente Daniel et sa soeur Sylvie.*

● *M. et Mme Dupont et* _____ *fils.*
● *Louis Dupont et* _____ *parents.*

● *M. et Mme Lucas et* _____ *petits-enfants.*
● *Et* _____ *amis dans la classe.*

Activité 7

Complète:

Tu parles de:	Qu'est-ce que tu dis?
● Tes livres.	○ Ce sont mes livres.
● Votre maison.	○ C'est notre maison.
● Les disques de Claude.	○ _____
● Les affaires de Paul et Louis.	○ _____
● La bicyclette de Sophie.	○ _____
● Le vélo de Pierre.	○ _____
● La voiture de tes cousins.	○ _____
● Ta radio.	○ _____

Les arbres de la ville

Dans la ville,
il y a des arbres
qui s'ennuient.

Ils voudraient
que le vent
secoue leurs branches

pour que tombe
la poussière
qui les salit.

Ils voudraient
que le vent
secoue leurs branches

pour qu'elles touchent
d'autres branches
d'arbres amis.

George L. HENDEL. *(Editions LA BOIVINIERE)*

EUROPE

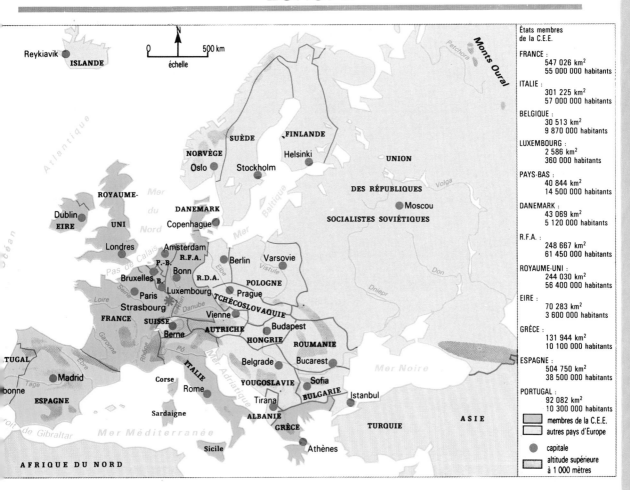

États membres
de la C.E.E.

FRANCE :
547 026 km²
55 000 000 habitants

ITALIE :
301 225 km²
57 000 000 habitants

BELGIQUE :
30 513 km²
9 870 000 habitants

LUXEMBOURG :
2 586 km²
360 000 habitants

PAYS-BAS :
40 844 km²
14 500 000 habitants

DANEMARK :
43 069 km²
5 120 000 habitants

R.F.A. :
248 667 km²
61 450 000 habitants

ROYAUME-UNI :
244 030 km²
56 400 000 habitants

EIRE :
70 283 km²
3 600 000 habitants

GRÈCE :
131 944 km²
10 100 000 habitants

ESPAGNE :
504 750 km²
38 500 000 habitants

PORTUGAL :
92 082 km²
10 300 000 habitants

membres de la C.E.E.
autres pays d'Europe
capitale
altitude supérieure
à 1 000 mètres

La place de la France dans la C. E. E.

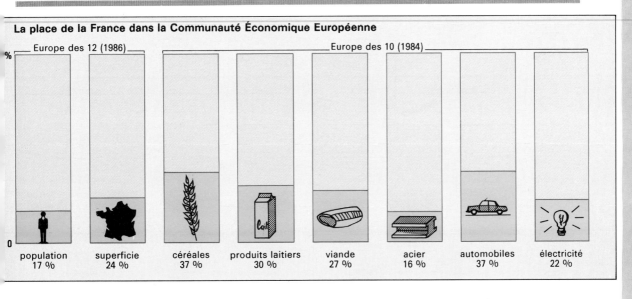

La place de la France dans la Communauté Économique Européenne

Europe des 12 (1986) — Europe des 10 (1984)

| population 17 % | superficie 24 % | céréales 37 % | produits laitiers 30 % | viande 27 % | acier 16 % | automobiles 37 % | électricité 22 % |

Activité 8

Indique le chemin à suivre

A Tu es devant le Palais de Justice.
▶ *Pour aller à la Mairie, quel chemin suivras-tu?*

B Tu es devant la caserne des Pompiers.
▶ *Quel chemin suivras-tu pour aller à la poste?*

C Tu es devant le Château.
▶ *Quel chemin suis-tu pour aller à l'Hôpital?*

D Tu es devant le Palais de Justice.
▶ *Quel chemin suis-tu pour aller au Lycée?*

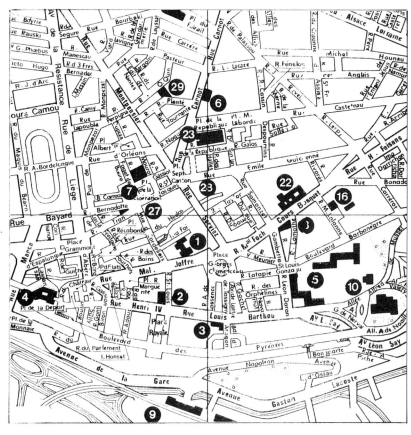

LEGENDE

1 Préfecture
2 Mairie - Office du Tourisme
3 Chambre de Commerce
4 Château
5 Lycée
6 Pompiers
7 Palais de Justice
8 Poste
9 Gare
10 Casino
11 Foire des Expositions
12 Piscine (Stade Nautique)
13 Piscine Caneton
14 Piscine Plein Ciel
15 Jardin Public. Parc Beaumont
16 Musée Bibliothèque
17 Faculté de Lettres
18 Faculté de Sciences
19 Faculté de Droit
20 Gendarmerie
21 Centre Personnes Agées
22 Hôpital
23 Halles
24 Caserne
25 Camping "le Coy". Piscine
26 Base de Plein Air de Gelos
    et Logis des Jeunes
27 Musée Bernadotte
28 Agence Nationale P. E.
29 Hôtel de Police
30 Office Régional E. P.
31 Hippodrome

Activité 9

En ou **y** ● Réponds par **oui** ou par **non**.
Exemples:

▶ Pierre habite à Genève? ▷ Oui, il y habite.
▶ Vous venez de la Mairie? ▷ Non, je n'en viens pas.

▶ Elle travaille à Paris? ▷ **Oui,**
▶ Elles étaient chez Louis? ▷ **Non,**
▶ Tu sors du travail à 7 heures? ▷ **Oui,**
▶ Les enfants vont à l'école ce matin? ▷ **Non,**
▶ Ton ami revient de Lyon? ▷ **Oui,**
▶ Il va à Genève? ▷ **Non,**

Activité 10

Rédiger une petite annonce ● En t'inspirant des trois petites annonces suivantes, rédiges-en une quatrième ● Réponds aussi à celle qui t'intéresse le plus.

292-6. PARCS REGIO-NAUX. Hélène, de Lunéville (54), recherche documents sur les parcs régionaux de toute la France, et sur la défense du milieu naturel.
292-7. ORDINATEUR ET ELECTRONIQUE. Benoît, de Chantepie (35), recherche des programmes d'ordinateur et des revues sur les ordinateurs et l'électronique.
292-8. LES FELINS. Virginie, de Caumont (02), recherche tous documents sur les félins.

Jeu

Le trou de la serrure

Imagine le reste de l'image: raconte.

*Textes complémentaires : J. Prévert, **Quartier libre**. F. Dumont, **Dites-vous bien** (voir page 109).*

9ème *Unité*

Objectifs

- Décrire un objet: utilité, matière, état, qualités, formes et couleurs.

Le jardin du baobab

Ma première visite à Tartarin de Tarascon est restée dans ma vie comme une date inoubliable; il y a douze ou quinze ans de cela, mais je m'en souviens mieux que d'hier. L'intrépide Tartarin habitait alors, à l'entrée de la ville, la troisième maison à main gauche sur le chemin d'Avignon. Jolie petite villa tarasconnaise avec jardin devant, balcon derrière, des murs très blancs, des persiennes vertes.

... ...

Du dehors, la maison n'avait l'air de rien.

Jamais on ne se serait cru devant la demeure d'un héros. Mais quand on entrait, coquin de sort!...

De la cave au grenier, tout le bâtiment avait l'air héroïque, même le jardin!... O le jardin de Tartarin, il n'y en avait pas deux comme celui-là en Europe. Pas un arbre du pays, pas une fleur de France; rien que des plantes exotiques,

... ...

à se croire en pleine Afrique centrale, à dix mille lieues de Tarascon. Tout cela, bien entendu, n'était pas de grandeur naturelle.

... ...

Pensez quelle émotion je dus éprouver ce jour-là en traversant ce jardin magnifique!... Ce fut bien autre chose quand on m'introduisit dans le cabinet du héros. Ce cabinet, une des curiosités de la ville, était au fond du jardin, ouvrant de plain-pied sur le baobab par une porte vitrée.

Imaginez-vous une grande salle tapissée de fusils et de sabres, depuis en haut jusqu'en bas: toutes les armes de tous les pays du monde.

... ...

FLECHES EMPOISONNEES, N'Y TOUCHEZ PAS!

Ou: ARMES CHARGEES, MEFIEZ-VOUS!

... ...

Au milieu du cabinet, il y avait un guéridon. Sur le guéridon, un flacon de rhum, une blague turque, les Voyages du capitaine Cook, les romans de Cooper, de Gustave Aimard, des récits de chasse, chasse à l'ours, chasse au faucon, chasse à l'éléphant, etc. Enfin, devant le guéridon, un homme était assis, de quarante à quarante-cinq ans, petit, gros, trapu, rougeaud, en bras de chemise, avec des caleçons de flanelle, une forte barbe courte et des yeux flamboyants; d'une main il tenait un livre, de l'autre il brandissait une énorme pipe à couvercle de fer, et, tout en lisant je ne sais quel formidable récit de chasseurs de chevelures, il faisait, en avançant sa lèvre inférieure, une moue terrible, qui donnait à sa brave figure de petit rentier tarasconnais ce même caractère de férocité bonasse qui régnait dans toute la maison.

Cet homme, c'était Tartarin, Tartarin de Tarascon, l'intrépide, le grand, l'incomparable Tartarin de Tarascon.

12

Alphonse DAUDET (Tartarin de Tarascon).

La collection de Manuel

Le cheval qui est dans la bibliothèque est en bronze.

Le serpent qui est par terre est en fer.

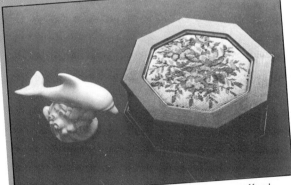

Le dauphin qui est à côté du coffret est en porcelaine.

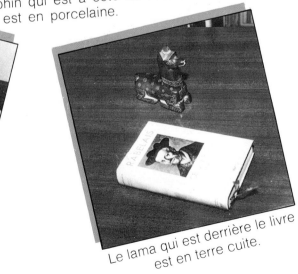

Les éléphants qui sont devant le tableau sont en cristal.

Le lama qui est derrière le livre est en terre cuite.

Activité 1

Observe les légendes des photos de la page 76 ● Qu'est-ce que tu remarques?

Activité 2

Le mot **en** indique:
Le lieu? ● La matière? ● La qualité?

Activité 3

Transforme les phrases de la page 76 selon le modèle:
Exemple:
● Le serpent qui est par terre est en fer.
○ Le serpent est en fer, il est par terre.

Activité 4

Transforme comme dans l'exemple:
Exemple:
● M. Marot est professeur et il habite à Niort.
○ **M. Marot qui est professeur habite à Niort.**

● Mlle Allaire est médecin et elle habite à Paris.
○

● M. Jules Magnin travaille à Paris et il est très gentil.
○

● Mlle Gohin est photographe et elle vit à Choisy-le-Roi.
○

● M. Claude Fraisseix voyage beaucoup et il a une grosse voiture.
○

● Carole Taimiot est étudiante et elle a 18 ans.
○

● Mme Jardin est actrice et elle est marseillaise.
○

Activité 5

Qu'est-ce que c'est? ● Utilise ce vocabulaire pour répondre:
acier ● bois ● laine ● verre ● or ● carton.
Exemple : C'est une assiette **en** carton.

Dialogues

A ▶ Tu te souviens pas? C'était rond et tout rouge...
   ▷ Mais non, c'était carré et en plus c'était bleu

B ▶ Elle est belle, élégante, moderne et pas chère!
   ▷ Toutes les qualités, quoi!

C ▶ C'est ta nouvelle voiture?
   ▷ Oui, ça se voit pas?
   ▶ Oh, dis donc, qu'est-ce qu'elle est vieille!

D ▶ Il est en quoi ton manteau? C'est du cuir?
   ▷ Oh! ça m'étonnerait, c'est sûrement du plastique

E ▶ A quoi sert cet appareil?
   ▷ C'est pour faire des jus de fruits

Activité 6

Regarde page 78 ● Indique le numéro de l'image.

Dialogue **A.** ──────▶ Image
Dialogue **B.** ──────▶ Image
Dialogue **C.** ──────▶ Image
Dialogue **D.** ──────▶ Image
Dialogue **E.** ──────▶ Image

Activité 7

Chacun de ces dialogues nous renseigne sur un aspect particulier d'un objet ● Peux-tu dire lequel? ● Choisis ●─────●

	Aspects
Dialogue **A.** ●	● Forme et contenu
Dialogue **B.** ●	● Etat
Dialogue **C.** ●	● Qualité
Dialogue **D.** ●	● Utilité
Dialogue **E.** ●	● Matière

Activité 8

Fais la **description** de cet objet.

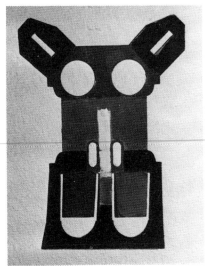

 Jeu

Un élève écrit le nom d'un objet sur un papier et répond aux questions de ses camarades concernant toutes les caractéristiques de cet objet. Le premier qui a trouvé prendra sa place.

N'oubliez pas de consulter, page 81, la rubrique Pour mieux...

Activité 9

Choisis une photo que tes camarades n'ont pas vue ● Toute la classe te pose des questions auxquelles tu réponds par oui ou par non ● Le jeu est fini quand la photo a été complètement décrite ● Attention! N'oubliez pas de situer les différents objets dans l'espace.

Activité 10

Utilise **ce, cet, cette** et **ces** pour compléter cette activité.

Consulte, si tu en as besoin, le tableau de grammaire n° 7, page 119.

● _____ journal est à Michèle, mais _____ poupée est à sa soeur.
● Vous avez parlé de _____ enfants à _____ messieurs? Oui, nous en avons parlé.
● _____ avion et _____ voiture sont à _____ monsieur.
● _____ soir, nous irons dans _____ petit restaurant que tu aimes tant.
● _____ après-midi, Jean a rencontré _____ jeune fille que vous n'appréciez pas.

Activité 11

Transforme selon le modèle:
Exemple:
● Prends ce gâteau: il est pour toi.
○ Prends ce gâteau qui est pour toi.

● Lis ce livre: il est passionnant.
○ _____

● Mange ces bonbons: ils sont délicieux.
○ _____

● Ecoute cette musique: elle est fantastique.
○ _____

● Donne-moi cette lampe: elle est très belle.
○ _____

● Regarde ces photos: elles sont splendides.
○ _____

● Prenez cet argent: il est à vous.
○ _____

● Achète ces fruits: ils viennent des tropiques.
○ _____

Invitation à *l'humour*

Textes complémentaires : **Les mots images,** *et G. Norge,* **La brebis galeuse** *(voir page 110).*

Les moyens pour mieux *décrire un objet*

La matière	c'est en fer, en carton c'est du plastique c'est de la céramique...

La forme, les dimensions	petit gros large carré long court...

Les couleurs	orange blanc noir gris vert rouge jaune marron bleu...

L'état	neuf vieux cassé abîmé impeccable superbe...

L'utilité	ça sert à... c'est pour... on peut s'en servir pour... on l'utilise pour...

10ème Unité

Objectifs

- Proposer.
- Accepter / refuser.
- Conseiller / déconseiller.
- Demander un service.

Il n'a pas encore déjeuné.
Il va manger.

Il déjeune.
Il est en train de manger.

Il vient de manger.
Il n'a plus faim.

N'OUBLIE PAS

● **Passé récent** ⟶ Venir de + Infinitif
(M. Dupont vient d'arriver.)

● **Présent continu** ⟶ Être (au présent) + en train de + Infinitif
(Les enfants sont en train de jouer.)

● **Futur proche** ⟶ Aller + Infinitif
(On va visiter un château.)

Activité 1

Ecoute et choisis:

	AVANT	MAINTENANT	APRES
1			
2			
3			
4			
5			
6			
7			
8			
9			
10			

Activité 2

Et maintenant, à toi! ● Commente ces images:

Il est midi.

Activité 3

Ecoute et réponds selon le modèle:

Exemples:

▶ Tu as encore faim?   ▷ Non, je n'ai plus faim.
▶ Tu as déjà faim?   ▷ Non, je n'ai pas encore faim.

▶ Tu travailles encore?   ▷
▶ Tu travailles déjà?   ▷
▶ Il dort encore?   ▷
▶ Il dort déjà?   ▷
▶ Il est toujours malade?   ▷
▶ Il est déjà fatigué?   ▷
▶ Vous êtes encore en vacances?   ▷
▶ Vous êtes déjà en vacances?   ▷

Tu peux consulter les tableaux de grammaire, page 123.

Chez BERNARD

113, rue Grande
77116 Recloses
Tel. 4242519

"On y mange tôt ou tard"

CARTE

Prix

Entrées

Oeufs mayonnaise ————————————— 18 F.
Sardines à l'huile ————————————— 20 F.
Salades au choix ————————————— 18 F.

Viandes

Filet de boeuf ————————————— 32 F.
Côte de porc pannée ————————————— 28 F.
Côtelettes d'agneau ————————————— 30 F.

Poissons

Truite normande ————————————— 28 F.
Sole meunière ————————————— 30 F.
Dorade au four ————————————— 32 F.

Plateau de fromages

Cantal
Camembert
Brie
Gruyère ————————————— 20 F.
Roquefort

Desserts

Glaces au choix ————————————— 18 F.
Crème caramel ————————————— 17 F.
Tarte aux fraises ————————————— 17 F.

Boissons

Vin rouge ou rosé, le pichet ————————————— 15 F.
Bière d'Alsace ————————————— 12 F.
1/4 d'eau minérale ————————————— 8 F.

Menu Touristique

3 plats au choix ————————————— 65 F.
1 boisson

Prix Nets. Taxes et Service compris.

Activité 4

Ecoute le menu choisi par le client et prends note de la commande.

Activité 5

Notre client vient de manger ● Ecoute: Peux-tu refaire l'addition et lui indiquer la somme correcte?

Activité 6

Dis ce que Manuel a pris ou n'a pas pris:

Activité 7

On te propose	Tu acceptes	Tu refuses
▶ De la truite?	▷ Oui, merci, j'en veux bien.	▷ Non, merci, je n'en prends jamais.
▶ De la salade?	▷	▷
▶ Du fromage?	▷	▷
▶ De la tarte aux fraises?	▷	▷
▶ Des fruits?	▷	▷
▶ Du vin?	▷	▷
▶ De l'eau?	▷	▷

Jeu

Observe les phrases suivantes: où est-ce qu'on peut les dire?

- Un aller et retour pour Marseille, s'il vous plaît.
- Combien est-ce que je vous dois?
- Non, merci, je n'ai plus faim.
- Deux places pour ce soir.
- Vous avez le Journal du Dimanche?
- Je voudrais changer 50 dollars et 100 marks.

Activité 8

Voici quelques expressions que l'on utilise en France ● Observe-les et fais-les correspondre aux explications qui se trouvent en bas de page.

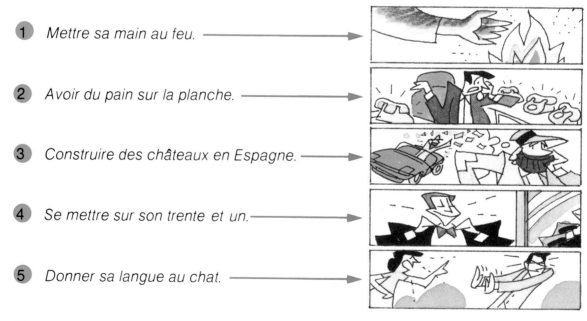

1 *Mettre sa main au feu.*

2 *Avoir du pain sur la planche.*

3 *Construire des châteaux en Espagne.*

4 *Se mettre sur son trente et un.*

5 *Donner sa langue au chat.*

A Avoir beaucoup à faire *(Les examens sont vendredi, on a du pain sur la planche).*
B S'habiller avec une extrême élégance *(Ce soir elle sort, elle s'est mise sur son trente et un).*
C Être sûr de quelque chose *(Il dit la vérité, j'en mettrais ma main au feu).*
D Faire des projets impossibles *(Tu rêves, tu fais des châteaux en Espagne).*
E Avouer qu'on ne peut pas répondre à une question *(Dis ce que c'est, je donne ma langue au chat).*

●Connais-tu des expressions semblables dans ta langue maternelle?

Invitation à *la lecture*

J'ai commencé ma vie comme je la finirai sans doute: au milieu des livres (...) Je ne savais pas encore lire que, déjà, je les révérais (...) Je sentais que la prospérité de notre famille en dépendait (...) Je ne savais pas encore lire mais j'étais assez snob pour exiger d'avoir mes livres (...) Je fis semblant de lire: je suivais des yeux les lignes noires sans en sauter une seule et je me racontais une histoire à voix haute, en prenant soin de prononcer toutes les syllabes (...) J'allais jusqu'à me donner des leçons particulières (...) avec *Sans Famille* d'Hector Malot, que je connaissais par coeur (...) j'en parcourus toutes les pages, l'une après l'autre: quand la dernière fut tournée, je savais lire. J'étais fou de joie (...) je saurais tout (...) C'est ce qui m'a fait (...) Je n'ai jamais gratté la terre ni quêté des nids (...) Mais les livres ont été mes oiseaux et mes nids, mes bêtes domestiques, mon étable et ma campagne; la biliothèque, c'était le monde pris dans un miroir (...) Je me lançais dans d'incroyables aventures (...) C'est dans les livres que j'ai rencontré l'univers.

Jean-Paul SARTRE (Extraits de *Les Mots*, Gallimard).

Texte complémentaire : M. Fombeure, **C'est le joli printemps** *(voir page 111).*

Les moyens pour mieux *demander un service*

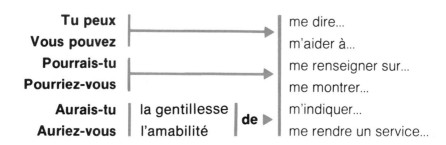

IIème *Unité*

Objectifs

- Se situer dans l'espace.
- Exprimer des sensations.

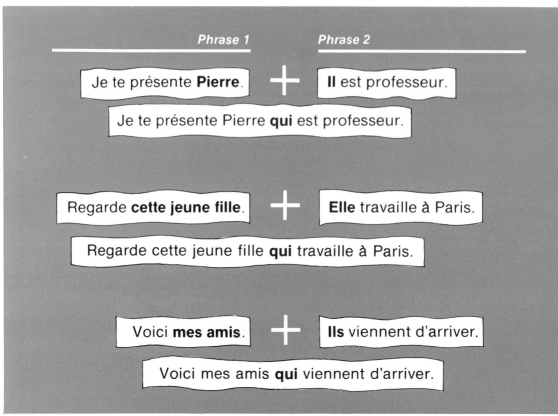

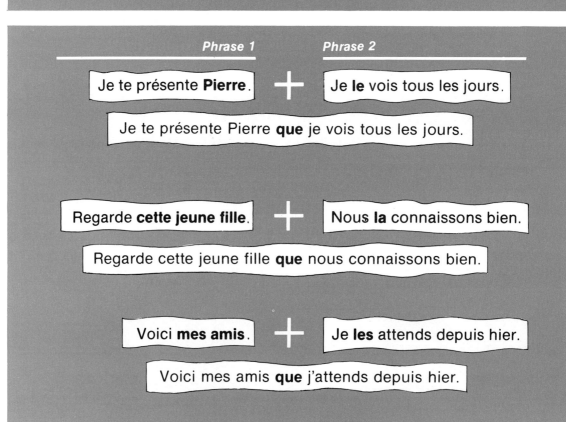

Activité 1

Observez la 1ère moitié de la page 92 par petits groupes et répondez aux trois questions suivantes:

A Dans chacune de ces phrases, quel est le mot remplacé par **qui?**
B Quelles sont la position et la fonction du mot remplacé?
C A quoi sert le mot **qui?**

Activité 2

Observez la 2ème moitié de la page 92 et répondez aux questions de l'**Activité 1.**

Activité 3

Transforme selon les modèles de la 1ère moitié de la page 92.

- Voilà mon ami Jacques, il est français.
- Ecoute le professeur, il est en train de parler.
- C'est Sylvie, elle est l'amie de ma soeur.
- Appelle les enfants, ils jouent dans la cour.
- Nous écrivons à Manuel, il habite à Bordeaux.
- Regarde tous ces cadeaux, ils sont pour nous.

Activité 4

Transforme selon les modèles de la 2ème moitié de la page 92.

- Regarde ces jouets, tu peux les prendre.
- Je te présente mes parents, tu ne les connais pas.
- Voici Marguerite, tu l'as déjà rencontrée.
- Ecoute ce disque, je l'aime beaucoup.
- Lis ce livre, je te le conseille.
- Va voir ce film, le professeur l'a vu hier.

Dialogues

A ▶ Oh, le pauvre! Il a très mal aux dents.
   ▷ Alors, vite, chez le dentiste!

B ▶ Bon, d'accord, on déjeune chez Bernard.
   ▷ Bernard? C'est qui?
   ▶ Mais, c'est un nouveau restaurant!

C ▶ Où as-tu appris à jouer comme ça?
   ▷ Chez les Indiens du Pérou.

D ▶ Ce soir, on va danser chez moi.
   ▷ Mais tu habites où?
   ▶ Oh, c'est pas loin.

E ▶ Vous trouverez chez Molière une critique terrible des médecins.
   ▷ C'est où, chez Molière?
   ▶ Mais non! dans son oeuvre.

Activité 5

Regarde la page 94 ● Indique le numéro de l'image.

Dialogue **A** _____→ Image
Dialogue **B** _____→ Image
Dialogue **C** _____→ Image
Dialogue **D** _____→ Image
Dialogue **E** _____→ Image

Activité 6

Ecoute à nouveau et note toutes les expressions introduites par **chez** ● Peux-tu les remplacer par d'autres?

Exemple: ● ...chez Molière_____→ Dans l'oeuvre de Molière.

Activité 7

Complète et compare avec tes camarades:

● *Chez*   *on mange beaucoup de spaghetti.*
● *Chez*   *on soigne les malades.*
● *Chez*   *on trouve des personnages comiques.*
● *Chez*   *j'ai une grande chambre.*
● *Chez*   *on y mange tôt ou tard.*

Activité 8

Observe toute la page 92 et transforme selon les modèles qui s'y trouvent:

● Invite Sylvie, elle est très sympa.
● Prends ce livre, je l'ai acheté hier.
● Téléphone à Daniel, il t'attend.
● J'ai rencontré mon ami Luc, je le cherchais.
● Prends ce disque, je l'ai laissé sur ma table.
● Donne les gâteaux à Paul, il n'en a pas mangé.

Jeu

Mime
Savoir dire où on a mal.

→ *Voir **Dialogues et activités** page 115*

Activité 9

Dis quelles sensations ils ressentent:

Elle a très froid.

Activité 10

Complète avec des expressions de temps.
Exemple: ● *Le soir, on a sommeil.*

● _____ *on a froid.*
● *J'ai très faim* _____
● _____ *on a chaud et soif.*
● _____ *un film d'horreur, on a peur.*

Activité 11

Où et quand peut-on entendre dire les choses suivantes?

● Je vous dois combien?
● Qu'est-ce qu'il fait froid ici !
● Ah non, j'ai vraiment trop sommeil!
● Tu crois qu'il viendra?
● Qu'est-ce que c'est chouette!
● Moi, tu sais, la campagne...

La bal(l)ade du p'tit Manuel

Invitation à **des vacances en France**

Fais correspondre lieux et activités.

Sports nautiques ● ●

Les châteaux de la Loire, Paris, Char-tres...

Alpinisme ● ●

Les parcs nationaux: Forêt d'Orient, Morvan, Vercors...

Visites touristiques
(art, histoire) ● ●

Les plages: Côte d'Azur, Côte Basque...

Marche à pied ● ●

Les Alpes et les Pyrénées.

● Et toi, où iras-tu ?

*Texte complémentaire : R. Desnos, **Le pélican** (voir page 111).*

Objectifs

Exprimer le lieu.
Exprimer les sensations.

Le jardin du baobab

Ma première visite à Tartarin de Tarascon est restée dans ma vie comme une date inoubliable; il y a douze ou quinze ans de cela, mais je m'en souviens mieux que d'hier. L'intrépide Tartarin habitait alors, à l'entrée de la ville, la troisième maison à main gauche sur le chemin d'Avignon. Jolie petite villa tarasconnaise avec jardin devant, balcon derrière, des murs très blancs, des persiennes vertes.

Du dehors, la maison n'avait l'air de rien.

Jamais on ne se serait cru devant la demeure d'un héros. Mais quand on entrait, coquin de sort!...

De la cave au grenier, tout le bâtiment avait l'air héroïque, ... jardin!... O le jardin de Tartarin, il n'y en avait pas deux ... n Europe. Pas un arbre du pays, pas une fleur de ... tes exotiques, ... à dix mille lieues de Taras- ... ...ur naturelle.

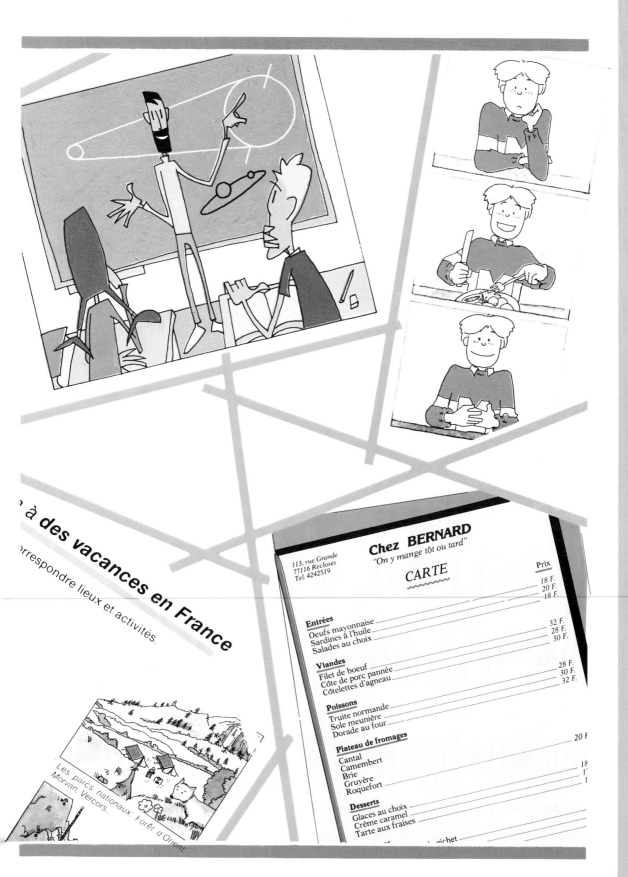

à **des vacances en France**

...orrespondre lieux et activités.

Les parcs nationaux, Forêt d'Orient, Morvan, Vercors...

113, rue Grande
77116 Recloses
Tel. 4242519

Chez BERNARD
"On y mange tôt ou tard"

CARTE

Prix

18 F.
20 F.
18 F.

Entrées
Oeufs mayonnaise .... 32 F.
Sardines à l'huile .... 28 F.
Salades au choix .... 30 F.

Viandes
Filet de boeuf .... 28 F.
Côte de porc pannée .... 30 F.
Côtelettes d'agneau .... 32 F.

Poissons
Truite normande
Sole meunière
Dorade au four

Plateau de fromages .... 20 F
Cantal
Camembert 18
Brie 1
Gruyère 1
Roquefort

Desserts
Glaces au choix
Crème caramel
Tarte aux fraises

Et maintenant, qu'est-ce que tu sais faire?

Activité 1

Regarde cette photo et choisis parmi les phrases ci-dessous celles qui peuvent servir à décrire l'objet qui s'y trouve.

Il est difficile à ouvrir • Ça sert à écrire • Il n'est pas très grand • Il est en plastique • Il a des roues • Il est bleu, blanc, rouge • C'est un coffre-fort • Il pèse une tonne • Il sert à garder de l'argent • Il a une porte et une serrure spéciales.

Activité 2

Commander un repas

1 Appelle le garçon.
2 Commande les plats que tu préfères. *(Inspire-toi de la page 86.)*
3 Et maintenant, demande l'addition.

Activité 3

Proposer ● Peux-tu proposer les choses suivantes ?

Exemple:● Du pain?

Vous voulez du pain?

Activité 4

Et maintenant, accepte ou refuse les propositions précédentes:

Exemple: ▶ Du pain? ▷ Oui, merci, j'en veux bien.
　　　　　　　　　▷ Non, merci, pas de pain.

Activité 5

Dire où on a mal ● Dis où Manuel a mal.

Activité 6

Exprimer des sensations fortes ● Quelles sensations est-ce que tu ressens dans les situations suivantes?

Activité 7

Qui ou **que** ● Complète:

● *Paul m'a prêté des disques　　　　　sont formidables.*
● *Sylvie nous présente son frère　　　　　nous ne connaissons pas.*
● *J'ai rencontré un ami　　　　j'aime beaucoup.*
● *Voilà un livre　　　　me plaît.*
● *Ce sont nos amis　　　　viendront nous voir demain.*
● *Apporte-moi les bonbons　　　　j'ai laissés sur la table.*

Vive la rose

Mon amant me délaisse
O gué vive la rose
Je ne sais pas pourquoi
Vive la rose et le lilas

Il va t'en voir une autre
O gué vive la rose
Ne sais s'il reviendra
Vive la rose et le lilas

On dit qu'elle est très belle
O gué vive la rose
Bien plus belle que moi
Vive la rose et le lilas

On dit qu'elle est malade
O gué vive la rose
Peut-être qu'elle en mourra
Vive la rose et le lilas

Si elle meurt dimanche
O gué vive la rose
Lundi on l'enter'ra
Vive la rose et le lilas

Mardi il r'viendra m'voir
O gué vive la rose
Mais je n'en voudrai pas
Vive la rose et le lilas.

1 Si tu as toujours utilisé **Le p'tit Manuel**, laquelle des trois parties as-tu aimé le plus ?

2 Quelles sont tes impressions au moment de terminer cette *aventure* ?

3 Commentez avec votre professeur ce que vous avez aimé le plus dans **Le p'tit Manuel**.

Quelques bonnes raisons pour continuer à apprendre le français

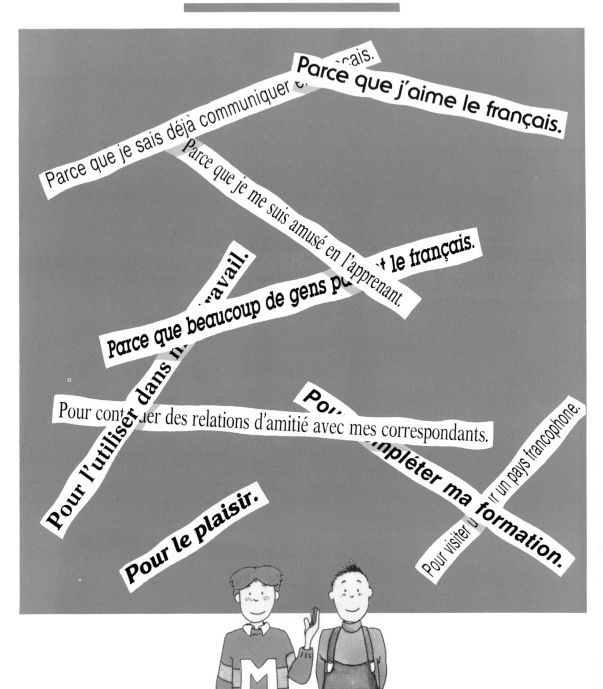

Parce que j'aime le français.

Parce que je sais déjà communiquer ... ...çais.

Parce que je me suis amusé en l'apprenant.

...t le français.

Parce que beaucoup de gens p...

...avail.

Pour l'utiliser dans m...

Pour cont...uer des relations d'amitié avec mes correspondants.

Po...

...mpléter ma formation.

Pour visiter ... ...ir un pays francophone.

Pour le plaisir.

● Réécris *les bonnes raisons pour continuer à apprendre le français.*

● Quelles sont les raisons qui correspondent à ce que tu ressens?
A toi d'en trouver d'autres.

La bal(l)ade du p'tit Manuel

Manuel, moitié réveillé,
Chaque matin part en Enfer,
Tapant du pied dans l'escalier.
Sa voisine crie en colère:
Petit voyou! veux-tu te taire!
Mais Manuel, dans la ruelle,
Court vers son bus, en sifflant l'air
De la *Ballade à Manuel.*

C'est l'histoire d'un fils d'ouvrier;
Sa moto gratte la poussière,
Comme la plume, le cahier.
L'argot est son vocabulaire,
L'aventure, son ordinaire,
Comme le cuir, sa peau cruelle.
Le Rock dur rythme l'atmosphère
De la *Ballade à Manuel.*

Vite, les copains du quartier,
Dans le bus, s'en vont à l'arrière
Trouver, en chantant, ce dernier,
Et rire des regards sévères.
Aux portes du lycée ouvert,
Ils reculent, c'est naturel,
Rêvant d'être les partenaires
De la *Ballade à Manuel.*

ENVOI

Cher Professeur, plus de grammaire!
Changez le cours habituel;
Ce que les élèves préfèrent
C'est la *Bal(l)ade à Manuel.*

Textes complémentaires

Conversation

(Sur le pas de la porte, avec bonhomie.)

Comment ça va sur la terre?
— Ça va, ça va, ça va bien.

Les petits chiens sont-ils prospères?
— Mon Dieu oui merci bien.

Et les nuages?
— Ça flotte.

Et les volcans?
— Ça mijote.

Et les fleuves?
— Ça s'écoule.

Et le temps?
— Ça se déroule.

Et votre âme?
— Elle est malade
le printemps était trop vert
elle a mangé trop de salade.

TARDIEU, Jean. *Monsieur, Monsieur,* extrait de LE FLEUVE
CACHÉ, © Éd. Gallimard.

Un éléphant se baladait dans ma cuisine
je lui ai dit très gentiment
tu n'es pas ici chez un marchand
de porcelaine
tu es chez le poète
apprends à te conduire
et il disparut avec délicatesse sagement

Un éléphant blanc cette fois
chose rare
se balade dans le corridor
et je lui dis
tu n'es pas chez un énergumène
et voilà qu'il me répond
pardon monsieur le poète pardon

CHAVEE, A. *A cor et à cri,* Bruxelles Labor, 1985.

LA CRAVATE

L   E
 A   T
  C   A
  R   V
   A
  DOU
  LOU
 REUSE
 QUE TU
 PORTES
ET QUI T'
ORNE Ô CI
VILISÉ

ÔTE-   TU VEUX
LA   BIEN
SI   RESPI
        RER

APOLLINAIRE, Guillaume. CALLIGRAMMES, *La cravate et la montre*, © Éd. Gallimard.

Toujours et Jamais

Toujours et Jamais étaient toujours ensemble
Ne se quittaient jamais
On les rencontrait
Dans toutes les foires
On les voyait le soir traverser le village
Sur un tandem
Toujours guidait
Jamais pédalait
C'est du moins ce qu'on supposait
Ils avaient tous les deux une jolie casquette
L'une était noire à carreaux blancs
L'autre blanche à carreaux noirs
A cela on aurait pu les reconnaître
Mais ils passaient toujours le soir
Et avec la vitesse...
Certains les soupçonnaient
Non sans raisons peut-être
D'échanger certains soirs leur casquette
Une autre particularité
Aurait dû les distinguer
L'un disait toujours bonjour
L'autre toujours bonsoir
Mais on ne sut jamais
Si c'était Toujours qui disait bonjour
Ou Jamais qui disait bonsoir
Car entre eux ils s'appelaient toujours
Monsieur Albert Monsieur Octave

VINCENSINI, Paul, *L'archiviste du vent,* Éd. St-Germain-des-Prés.

Quartier libre

J'ai mis mon képi dans la cage
et je suis sorti avec l'oiseau sur la tête
Alors
on ne salue plus
a demandé le commandant
Non
on ne salue plus
a répondu l'oiseau
Ah bon
excusez-moi je croyais qu'on saluait
a dit le commandant
Vous êtes tout excusé tout le monde peut se tromper
a dit l'oiseau.

PRÉVERT, Jacques. *Paroles*, © Éd. Gallimard.

DITES-VOUS BIEN

QU'IL
FAUT

LA
PLUIE
ET

LE
SOLEIL

POUR

TENDRE

L'

ARC - EN - CIEL

NORGE, Paul, *Fragments,* Éd. Labor, « Espace Nord » (n° 7), 1983, p. 66.

Les mots images

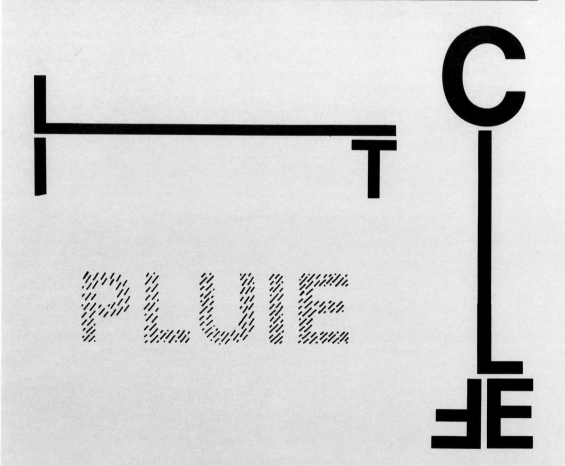

La brebis galeuse

Justement la plus belle brebis devint galeuse.
Comme c'était la plus belle, on aima bien cette gale et
d'autres brebis voulurent devenir galeuses.
Une seule brebis demeura sans gale.
Eh bien, on lui tint rigueur, on la mit à l'écart.
Et on la nomma la brebis galeuse.

NORGE, G. *Remuer ciel et terre*, Bruxelles, Labor, 1985.

C'est le joli printemps

C'est le joli printemps
Qui fait sortir les filles,
C'est le joli printemps
Qui fait briller le temps.

J'y vais à la fontaine,
C'est le joli printemps,
Trouver celle qui m'aime,
Celle que j'aime tant.

C'est dans le mois d'avril
Qu'on promet pour longtemps,
C'est le joli printemps,
Qui fait sortir les filles,

La fille et le galant,
Pour danser le quadrille.
C'est le joli printemps
Qui fait briller le temps.

Aussi, profitez-en,
Jeunes gens, jeunes filles;
C'est le joli printemps
Qui fait briller le temps.

Car le joli printemps,
C'est le temps d'une aiguille.
Car le joli printemps
Ne dure pas longtemps.

FOMBEURE, Maurice. *A dos d'oiseau*, Gallimard, 1971.

Le pélican

Le capitaine Jonathan,
Etant âgé de dix-huit ans,
Capture un jour un pélican
Dans une île d'Extrême-Orient.

Le pélican de Jonathan,
Au matin, pond un œuf tout blanc
Et il sort un pélican
Lui ressemblant étonnamment.

Et ce deuxième pélican
Pond, à son tour, un œuf tout blanc
D'où sort, inévitablement,
Un autre qui en fait autant.

Cela peut durer pendant très longtemps
Si l'on ne fait pas d'omelette avant.

Chantefables.

DESNOS, Robert, *Chantefables et chantefleurs*, Librairie Grund.

Dialogues et activités

1ère Unité

Activité 4

1. Tu as vu mon frère?
2. Ça sert à quoi?
3. Est-ce qu'elle est sympa?
4. Tu y vas comment, à Paris?
5. Où est-ce qu'elle travaille?
6. Il part longtemps ?
7. Est-ce qu'il y a un autobus pour Nîmes?
8. Où est-il?
9. Comment ça marche?
10. Ils travaillent beaucoup?

Activité 9

1. Vous partez quand?
2. Finalement, vous allez où?
3. Et bien sûr, vous prenez le train de 18h 30?
4. Et vous y allez comment?
5. Vous avez réservé combien de places?
6. C'est cher? Combien ça coûte?

Activité phonétique

Ecoute et choisis:

1. ▶ Pas la rue, le boulevard.
   ▶ Le paquet de riz dans l'armoire.

2. ▶ Ma vie, je l'aime.
   ▶ Ma vue? elle baisse.

3. ▶ C'est dit une fois pour toutes.
   ▶ C'est dû; ce n'est pas remboursé.

4. ▶ J'allume quelle lampe?
   ▶ Je lime l'imperfection, voilà.

5. ▶ J'achète dix piles.
   ▶ J'achète un pull.

6. ▶ Contre le rhume, il y a des médicaments.
   ▶ Je n'aime pas les rimes de ce poète.

7. ▶ Avec une mise pareille, je ne jouais plus.
   ▶ C'est une muse qui s'amuse, comme le poète.

8. ▶ Le Cid de Corneille?
   ▶ Le sud, quel sud?

2ème Unité

Activité 3

1. Mon papa est plus grand que le tien.
2. Oui, mais ta maman, elle est moins belle que la mienne.
3. Et toi, t'es aussi bête que ta soeur.
4. Eh ben... ma famille, elle est plus riche que la tienne.
5. C'est pas vrai! Votre maison est moins grande que la nôtre.
6. Oui, mais la voiture de mon papa, elle est plus chouette que la vôtre.
7. Eh ben, toi, tes jouets sont moins chers que les miens.
8. Tu parles! Mon vélo est aussi grand que celui de ta soeur.
9. Ouais, mais mon chien, il est plus fort que le vôtre.
10. Ben, les enfants, vous êtes aussi bêtes l'un que l'autre!

Activité phonétique

Ecoute et choisis:

1. ▶ Ce plat? Il est tout neuf.
   ▶ Ce plan? C'est celui de l'architecte; il est passé.

2. ▶ Quel chant? Personne ne chante?
   ▶ Ce chat? Il court trop vite.

3. ▶ Oui, je suis là!
   ▶ Non, pas trop lent!

4. ▶ La chasse sera bonne!
   ▶ Je n'ai jamais eu de chance.

5. ▶ Il y a beaucoup de tanches dans cet étang.
   ▶ Ce n'est jamais beau une tache!

6. ▶ Du cas qui nous intéresse.
   ▶ Du camp militaire.

3ème Unité

Activité 7

1. Le 14 juillet.
2. Le 17 février 1673.
3. Le 26 février 1802.

4. Le 20 juillet 1969.
5. Le 12 octobre 1492.

Activité phonétique

Ecoute et choisis:

1. Elle n'est jamais en retard.
   Il est toujours en retard.

2. Mais il ne parle pas.
   Elle parle trop vite.

3. De quelle pile parles-tu?
   Cette pelle-là?

4. Tu saignes vraiment beaucoup.
   Tu signes curieusement.

5. Je n'ai pas d'autres craies pour écrire.
   Ce ne sont pas mes cris mais ceux de mon jeune frère.

4ème Unité

Activité phonétique 1

Ecoute et choisis:

1. Oui, des bonds, il saute.
   Des bancs en bois.

2. En rang dans la cour.
   En rond autour du conteur.

3. Des cheveux blancs? Elle n'est pourtant pas vieille.
   Des cheveux blonds? Je la croyais brune.

4. Oui, malgré son talent, il produit peu.
   Il s'est fait mal au talon?

5. Les joncs poussent bien ici.
   Les gens se réunissent toujours ici.

Activité phonétique 2

Ecoute et choisis:

1. La première, c'est mademoiselle.
   Le premier, c'est le garçon du fond.

2. Je n'ai plus d'œillets, j'ai des roses.
   Des œillères pour un cheval?

3. Je suis justement sur les nerfs!
   J'ai un très bon nez.

4. Il y a des pierres dans ce chemin.
   Ne marchez pas pieds nus dans cette pièce.

5. L'écolier marche vite.
   L'écolière vous sourit.

6. L'infirmier qui vient de passer.
   L'infirmière qui est à son bureau.

5ème Unité

Activité 4

1. Oui, j'en veux bien.
2. Oui, j'en prends.
3. Oui, j'en bois.
4. Oui, nous en prenons.
5. Bien sûr, nous en voulons.
6. Volontiers, on en prend.
7. Ah, oui, j'en veux bien.

Activité 11

1. Deux jours en Provence coûtent 1 450 F.
2. Noël en Gascogne coûte 2 370 F.
3. Si vous allez à Rome, ça vous coûtera 2 750 F.
4. Deux jours en Alsace pour le Nouvel An: 1 450 F.
5. Maintenant, si vous préférez passer le Nouvel An à Bruxelles, les trois jours vous coûtent 1 147 F.
6. Si vous choisissez Venise, eh bien, cela vous coûtera 2 227 F.
7. Si vous désirez partir quatre jours, la Hollande est à vous pour 2 855 F.
8. Les gens fortunés pourront passer deux jours en Autriche pour 3 320 F.
9. Les gens très riches s'offriront une croisière de Noël pour 13 690 F, prix minimum.
10. On peut aussi, à condition d'être très, très riche, partir en croisière pour l'Afrique; cela ne représente que 26 200 F.

Activité phonétique

Ecoute et choisis:

1. Oui, très beau.
   Tellement bon que le plat est terminé.

2. Je ne veux pas passer par le pont.
   Je ne veux pas acheter tout un pot.

3. Il ne peut pas faire un don plus important.
   Il souffrait beaucoup de son dos.

4. On va le manger, ce chapon.
   Ce n'est pas mon chapeau.

5. Je ne vois pas le sac de son.
   Où as-tu mis le seau?

Activité phonétique

Ecoute et choisis:

1. Ah, tu disais oui!
   Je ne savais plus si c'était sept ou huit.

2. Je ne sais plus si c'est lui ou un autre.
   Non, ce n'est pas Louis, c'est Marcel.

3. Ce loueur n'est pas sympathique.
   C'est la lueur de cette lampe.

4. J'essuie la buée.
   La bouée est bien accrochée.

5. Oui, quelle suée ce travail!
   C'est un drôle de souhait, en effet.

7ème Unité

Activité 9

Tu es au même point de départ que Manuel. Passe devant la cour des Adieux puis prends la rue Denecourt. Tu arrives place Bonaparte. Continue tout droit, c'est la rue Roosevelt. Tourne à gauche dans la rue de la Paroisse et va jusqu'à la rue Béranger. Prends à gauche: tu es dans la rue Saint-Honoré. Traverse la rue de France. Tu arrives rue Royale. Tourne à gauche puis dans la première rue à droite. Maintenant prends, à gauche, la rue Saint-Louis et va jusqu'au bout. Ça y est, tu es arrivé! Mais où es-tu?

Jeu

1. Chacun va tracer sur une grande feuille des cases comme pour le plan d'une ville.

2. Mettez-vous par groupes de deux et tracez le plan d'une ville sur votre grille selon votre imagination.

   ● Inspirez-vous de la liste des édifices que vous avez établie avant.

   ● Utilisez différentes couleurs pour tracer le plan de votre ville idéale sur la grille.

3. Une fois le plan terminé, chaque groupe cherchera à deviner l'agencement du plan de la ville d'un autre groupe en lui posant des questions et en inscrivant sur une grille vide les informations obtenues. Par exemple:

   ▷ Est-ce qu'il y a une rivière dans votre ville?

   ▷ Oui, il y a une rivière dans notre ville.

   ▷ Où est-ce qu'elle passe?

   ▷ Elle passe de c 1 en d 2, puis en d 3, puis en c 4 et ensuite en b 5.

   ▷ Vous avez une piscine dans votre ville?

   etc.

4. Maintenant, comparez vos deux plans.

   (Jeux et activités communicatives dans la classe de langue. François WEISS, Hachette.)

Activité phonétique

Ecoute et choisis:

1. Non, ce n'est pas pour **voir**.
   Non, ce n'est pas pour **boire**, c'est pour la décoration.

2. De quel **bois** parles-tu?
   Quelle **voix**? Personne ne parle.

3. C'est le chien du voisin qui **aboie**.
   Tu crois qu'il **voit** sa voiture?

4. Je suis à **vous** maintenant.
   Je suis à **bout**, je n'en peux plus!

5. Je croyais qu'il n'était plus dans le **Var**.
   Il reste toujours trop au **bar**.

6. C'est un **avis** parmi d'autres.
   C'est un bel **habit**.

8ème Unité

Activité 5

Chères auditrices, bonsoir! Aujourd'hui, comme promis, voici une recette facile, mais succulente, pour réussir de bonnes crêpes. D'abord, prenez note de la liste des ingrédients. Il vous faut 250 grammes de farine, 2 oeufs, un peu de sel, un verre de lait, un verre d'eau, un petit peu d'huile et quand vos crêpes seront faites, un peu de sucre ou de confiture.

Et maintenant voici comment faire...

Activité phonétique

Ecoute et choisis:

1. C'est une fille très **active**.
   C'est un garçon très **actif**.

2. L'animal reste **passif**.
   La bête reste **passive**.

3. C'est une réaction **instinctive**.
   C'est un geste **instinctif**.

4. La réponse est **positive**.
   Le résultat est **positif**.

5. ▶ La décision est **négative**.
▶ Le signe est **négatif**.

6. ▶ Voilà un produit **compétitif**.
▶ C'est une voiture **compétitive**.

9ᵉᵐᵉ Unité

Activité phonétique

Ecoute et choisis:

1. ▶ Je parle de ces **yeux**-là.
▶ Je parle de ces **jeux**-là.

2. ▶ C'est une **page** blanche pour écrire.
▶ C'est de la **paille** pour l'étable.

3. ▶ Elle est morte, la **caille**.
▶ Elle est cassée, cette **cage**.

4. ▶ Mais ce n'est pas de la **rouille**.
▶ Mais ce n'est pas **rouge**.

5. ▶ Mais non, il n'a pas l'**âge**!
▶ De l'**ail**? Oui, en voilà.

10ᵉᵐᵉ Unité

Activité 1

1. Elles vont acheter des fleurs pour la fête.
2. Les invités sont en train de danser.
3. Vous allez vous promener dans la forêt.
4. Dominique et Sophie viennent d'arriver.
5. Tous les étudiants sont en train de travailler.
6. Nous allons déjeuner chez tante Jeanne.
7. M. Magnin vient de téléphoner à l'instant.
8. Les oiseaux sont en train de chanter, il fait beau.
9. Je viens de rencontrer ton frère dans la rue.
10. On va fêter son anniversaire demain.

Activité 4

▶ Garçon, s'il vous plaît!
▷ Oui, Monsieur, vous désirez?
▶ Je voudrais déjeuner.
▷ Bien, Monsieur, voici la carte.
… … …
▶ Garçon!
▷ Monsieur a choisi?
▶ Oui, alors, comme entrée, une salade de tomates.
▷ Une salade de tomates. Et comme viande?
▶ Non, donnez-moi d'abord une truite normande.
▷ Une truite normande. Et puis...
▶ Comme viande, une côte de porc pannée.

▷ Une côte de porc... Monsieur prendra du fromage?
▶ Oui, c'est cela, mais pas de dessert.
▷ Comme boisson?
▶ Eh bien, donnez-moi un quart de rosé.
▷ Un quart de rosé, bien Monsieur, bon appétit!

Activité 5

▶ Garçon, s'il vous plaît.
▷ Tout de suite, Monsieur. L'addition pour la cinq!
… … …
▷ Voilà, Monsieur, c'est 115 francs.
… … …
▶ Garçon! Il y a une erreur! Vous voulez vérifier?
▷ Excusez-moi, Monsieur, voyons...

une salade de tomates, 18 F,
une truite, 28 F,
une côte de porc, 28 F,
un plateau de fromage, 20 F,
un quart de rosé, 15 F,
ça fait bien 115 F.

Activité phonétique

Ecoute et choisis:

1. ▶ Non, je ne l'ai pas **cassé**.
▶ Non, je ne l'ai pas **casé**, je ne sais pas où le mettre.

2. ▶ Mais ils ne **savaient** rien.
▶ Mais ils n'**avaient** rien.

3. ▶ Attention, c'est du **poison**!
▶ Oui, c'est du **poisson** aujourd'hui.

4. ▶ Mon **cousin** est arrivé?
▶ Tu as terminé mon **coussin**?

5. ▶ C'est le **dessert** spécial!
▶ C'est **désert**, il n'y a personne.

6. ▶ C'est une mauvaise **essence**!
▶ De l'**aisance**, ça?

11ᵉᵐᵉ Unité

Jeu

Mime

Chaque élève devra mimer devant ses camarades une douleur. Les autres devront dire où il a mal.

Exemple:

● *Il a mal:* à la tête.
à la jambe.
aux dents.
aux pieds.
au ventre.
au genou, etc.

Activité phonétique

Ecoute et choisis:

1. ▶ Je n'aime pas le **riz**.
   ▶ Je ne mange pas **au lit**.

2. ▶ C'est une **grâce** généreuse.
   ▶ C'est une très bonne **glace**.

3. ▶ **La branche** peut casser.
   ▶ La **blanche** est mieux que la bleue.

4. ▶ Ce n'est pas son **clan**!
   ▶ Il n'a pas de **cran**, il a peur!

5. ▶ Je la retire **fraîche**.
   ▶ Je retire la **flèche**.

6. ▶ L'homme s'étend.
   ▶ **Rome** s'étend.

12ème Unité

Activité phonétique

Prononcez ensemble les deux groupes de mots prononcés **séparément** et faites les liaisons convenables.

▶ Une tarte / au sucre.
▶ Une bonne / affaire.
▶ L'homme / au chapeau.
▶ La belle / affaire.
▶ Une rade / agréable.
▶ Une bombe / à retardement.
▶ Une histoire / amusante.
▶ Une place / assise.
▶ Une langue / alerte.
▶ Une vive / émotion.
▶ Un arc / en ciel.
▶ Une crise / économique.
▶ Une branche / à fleurs.
▶ Une pompe / à eau.
▶ Une cage / en fer.
▶ Un professeur / étourdi.

Grammaire *

Le nom [1]

Le féminin des noms

MASCULIN		FEMININ
un élève	——————————→	une élève
un ami	+ e	une amie
le directeur	teur/trice	une directrice
l'infirmier	ier/ière	l'infirmière

Le pluriel des noms

SINGULIER		PLURIEL
le lit	+ s	les lits
un téléphone	+ s	des téléphones
une maison	+ s	des maisons
le cou	+ s	les cous
un pneu	+ s	des pneus
le dos	——————————→	les dos
le bras	——————————→	les bras
le nez	——————————→	les nez
une croix	——————————→	des croix

Quelques exceptions   *ATTENTION!!*

SINGULIER		PLURIEL
un genou	+ x	des genoux
un cheveu	+ x	des cheveux
un cheval	al/aux	des chevaux
un journal	al/aux	des journaux
un œil	——————————→	des yeux

★ *La présentation de cette Grammaire, qui nous a paru la plus judicieuse, s'inspire de celle que l'on peut trouver dans* **Cartes sur Table** *de R. RICHTERICH et B. SUTER. Nous tenons à les remercier ici.*

Devant LE NOM
N'OUBLIE PAS

Articles indéfinis [2]

	Singulier	Pluriel
Féminin	**une** fille	filles
Masculin	**un** garçon	**des** ▸ garçons

Articles définis [3]

	Singulier	Pluriel
Féminin	**la** cuisine / l'école	cuisines / écoles
Masculin	**le** professeur / l' homme	**les** ▸ professeurs / hommes

Articles partitifs [4]

	SINGULIER	PLURIEL	NEGATIF
Masculin	**du, de l'**	**des**	**pas de**
Féminin	**de la, de l'**		

Du vin? ▸ Oui, merci, du vin. / Non, merci, pas de vin.

De l'eau? ▸ Oui, merci, de l'eau. / Non, merci, pas d'eau.

De l'argent? ▸ Oui, merci, de l'argent. / Non, merci, pas d'argent.

Des fruits? ▸ Oui, merci, des fruits. / Non, merci, pas de fruits.

De la viande? ▸ Oui, merci, de la viande. / Non, merci, pas de viande.

Des tomates? ▸ Oui, merci, des tomates. / Non, merci, pas de tomates.

à + article défini [5]

(à + le) ⟶ **au**

Nous allons au cinéma.
Je parle au professeur.

(à + la) ⟶ **à la**

Nous allons à la piscine.

(à + l') ⟶ **à l'**

Il habite à l'hôtel.

(à + l') ⟶ **à l'**

Carmen va à l'école.

(à + les) ⟶ **aux**

Je vais aux Etats-Unis.
Le professeur parle aux garçons.

Manuel va aux toilettes.
Le professeur parle aux filles.

de + article défini [6]

(de + le) ⟶ **du**

Il revient du Japon.
Les résultats du championnat.

(de + la) ⟶ **de la**

Manuel revient de la montagne.
La voiture de la famille.

(de l') ⟶ **de l'**

Carmen revient de l'hôpital.

(de + l') ⟶ **de l'**

Manuel revient de l'école.

(de + les) ⟶ **des**

Le ballon des garçons.
Le ballon des élèves.
Il revient des Etats-Unis.

Les livres des filles.
Les livres des élèves.
Il sort des toilettes.

L'adjectif démonstratif [7]

MASCULIN	PLURIEL	FEMININ
ce, cet ▶	ces ◀	cette

ce garçon	ces garçons ces filles	cette fille
ce chien	ces chiens ces maisons	cette maison
cet hôtel	ces hôtels ces amies	cette amie
cet ami	ces amis ces valises	cette valise

L'adjectif possessif [8]

MASCULIN	PLURIEL	FEMININ
mon ▷ cahier	**mes** ▷ cahiers	
	maisons	**ma** ▷ maison
	amies	**mon** ▷ amie
ton ▷ cahier	**tes** ▷ cahiers	
	maisons	**ta** ▷ maison
	amies	**ton** ▷ amie
son ▷ cahier	**ses** ▷ cahiers	
	maisons	**sa** ▷ maison
	amies	**son** ▷ amie

Un seul possesseur

MASCULIN	PLURIEL	FEMININ
notre ▷ cahier	**nos** ▷ cahiers	
	maisons	**notre** ▷ maison
votre ▷ cahier	**vos** ▷ cahiers	
	maisons	**votre** ▷ maison
leur ▷ cahier	**leurs** ▷ cahiers	
	maisons	**leur** ▷ maison

Plusieurs possesseurs

L'adjectif interrogatif [9]

MASCULIN		FEMININ	
Singulier	Pluriel	Pluriel	Singulier
Quel	**Quels**	**Quelles**	**Quelle**
Quel garçon?	Quels garçons?	Quelles filles?	Quelle fille?
Quel ami?	Quels amis?	Quelles amies?	Quelle amie?
Quel livre?	Quels livres?	Quelles maisons?	Quelle maison?

L'adjectif qualificatif[10]

PLURIEL	◀ MASCULIN ▶	FEMININ ▶	PLURIEL
petits ◀──	petit ──▶	petite ──▶	petites
grands	grand	grande	grandes
bruns	brun	brune	brunes
blonds	blond	blonde	blondes
gris ◀───	gris ────▶	grise ────▶	grises
gros ◀───	gros ────▶	grosse ────▶	grosses
jeunes ◀──	jeune ──▶	jeune ──▶	jeunes
sympathiques	sympathique	sympathique	sympathiques
rouges	rouge	rouge	rouges
formidables	formidable	formidable	formidables
actifs ◀──	actif ──▶	active ──▶	actives
sportifs	sportif	sportive	sportives
neufs	neuf	neuve	neuves

ATTENTION !!

beaux ◀──	beau ──▶	belle ──▶	belles
blancs	blanc	blanche	blanches
vieux	vieux	vieille	vieilles
nouveaux	nouveaux	nouvelle	nouvelles

Remarque

- Un beau garçon
- Un nouveau livre
- Un vieux monsieur
- Un bel homme
- Un nouvel élève
- Un vieil ami

Les noms de couleurs[11]

	Noms	Le blanc	Le bleu	Le vert	Le jaune	Le rouge	Le noir	Le gris	L'orange
Adjectifs	Masculin	blanc	bleu	vert	jaune	rouge	noir	gris	orange
	Feminin	blanche	bleue	verte	jaune	rouge	noire	grise	orange

Les pronoms personnels[12]

	SINGULIER	PLURIEL
Masculin	**le, l'**	**les**
Féminin	**la, l'**	

Masculin	▶ Il y a **un livre** sur la table.	▷ Oui, je **le** vois.
	▶ Tu connais **Alain Delon?**	▷ Oui, je **l'**aime bien.
Féminin	▶ Tu vois **la tour Eiffel?**	▷ Oui, je **la** vois très bien.
	▶ Tu aimes **cette chanson?**	▷ Oui, je **l'**écoute souvent.
Pluriel	▶ Tu aimes **les gâteaux?**	▷ Oui, je **les** adore.
	▶ Prends **les cassettes.**	▷ D'accord, je **les** prends.

	SINGULIER	PLURIEL
Masculin	**Lui**	**Leur**
Féminin		

Masculin	▶ Tu parles **à M. Dupont?**	▷ Oui, je **lui** parle.
		(▷ Je parle **à M. Dupont.**)
	▶ Tu écris **à Paul?**	▷ Oui, je **lui** écris.
		(▷ J'écris **à Paul.**)
Féminin	▶ Tu téléphones **à Sylvie?**	▷ Oui, je **lui** téléphone.
		(▷ Je téléphone **à Sylvie.**)
	▶ Tu écris **à Mme Dupont?**	▷ Oui, je **lui** écris.
		(▷ J'écris **à Mme Dupont.**)
Pluriel	▶ Tu parles **à Paul et à Pierre?**	▷ Oui, je **leur** parle.
		(▷ Je parle **à Paul et à Pierre.**)
	▶ Tu écris **à tes cousines?**	▷ Oui, je **leur** écris.
		(▷ J'écris **à mes cousines.**)

	SINGULIER	PLURIEL
Masculin · Féminin	**En**	

▶ Tu manges **du pain?**	▷ Oui, j'**en** mange tous les jours.
	(▷ Je mange **du pain** tous les jours.)
▶ Vous voulez **de l'eau?**	▷ Merci, j'**en** veux bien.
	(▷ Je veux bien **de l'eau.**)
▶ Vous prendrez **de la viande?**	▷ Oui, donnez-m'**en.**
	(▷ Donnez-moi **de la viande.**)

La négation [13]

Oral et écrit   Oral

Ce n'est pas Pierre. ⟶ *C'est pas Pierre*

Elle n'écoute pas la radio. ⟶ *Elle écoute pas la radio*

Je ne comprends pas l'espagnol. ⟶ *Je comprends pas l'espagnol*

Je ne suis pas gros. ⟶ *Je suis pas gros*

Les mots pour dire NON

- **Ne ... pas**
  - ○ Il ne travaille pas.
- **Ne ... jamais**
  - ○ Il n'écoute jamais.
- **Ne ... personne**
  - ○ Je ne vois personne.
  - ○ Il n'y a personne.
- **Ne ... rien**
  - ○ Nous n'entendons rien.

ATTENTION!!

Après une question négative:

▶ Tu ne travailles pas? ▷ Non, je ne travaille pas.
                        ▷ **Si**, je travaille.
▶ Tu ne vois pas?   ▷ Non, je ne vois pas.
                        ▷ **Si**, je vois.

L'interrogation [14]

Les mots pour INTERROGER

- **Comment** ▶ Tu viens comment?
- **Combien** ▶ Ça coûte combien?
             ▶ Vous êtes combien?
- **Quand** ▶ Tu pars quand?
- **Où** ▶ Tu habites où?
- **Quel** ▶ Il fait quel temps?
- **Qui** ▶ Qui téléphone?

ATTENTION!!

▶ Tu viens comment?   ▷ Comment **est-ce que** tu viens?
▶ Ça coûte combien?   ▷ Combien est-ce que ça coûte?
▶ Vous êtes combien?   ▷ Combien est-ce que vous êtes?
▶ Tu pars quand?   ▷ Quand est-ce que tu pars?
▶ Tu habites où?   ▷ Où est-ce que tu habites?
▶ Il fait quel temps?   ▷ Quel temps est-ce qu'il fait?
▶ Qui téléphone?   ▷ Qui est-ce qui téléphone?
▶ Tu viens?   ▷ Est-ce que tu viens?

La comparaison [15]

La supériorité

Je suis			grand			toi.
Les enfants sont	⇨	**plus** ⇨	petits	⇨	**que** ⇨	les adultes.
La voiture est			rapide			le vélo.
Mes fleurs sont			jolies			celles du jardinier.

Attention!

- Le pain est **bon**.
- La limonade est **bonne**.

○ Le pain est **meilleur** que le gâteau.
○ La limonade est **meilleure** que l'eau.

Daniel écrit			vite			moi.
Thomas chante	⇨	**plus** ⇨	fort	⇨	**que** ⇨	Louis.
Nous allons			loin			vous.

Attention!

- Sylvie chante **bien**.

○ Sylvie chante **mieux** que son père.

L'égalité

Le beurre est			cher			la viande.
Mes parents sont	⇨	**aussi** ⇨	riches	⇨	**que** ⇨	les tiens.
Jeanne est			gentille			Sophie.
Mes amies sont			élégantes			les siennes.

Tu parles			bien			ton frère.
Elle écoute	⇨	**aussi** ⇨	attentivement	⇨	**que** ⇨	moi.
Vous voyagez			souvent			votre patron.

L'infériorité

Le singe est			intelligent			l'homme.
Les trains sont	⇨	**moins** ⇨	sûrs	⇨	**que** ⇨	les avions.
La Seine est			longue			la Loire.
Tes photos sont			belles			les miennes.

J'étudie			facilement			toi.
Elle se lève	⇨	**moins** ⇨	tôt	⇨	**que** ⇨	son mari.
Mes amis nagent			longtemps			moi.

Se situer dans l'espace[16]

Expressions du lieu [17]

Je vais ▶	à Lyon.		de Lyon.
	à Paris.		de Paris.
	à la campagne.		de la campagne.
	à la montagne.		de la montagne.
Je suis ▶	à la plage.	Je viens ▶	de la plage.
	à l'école.		de l'école.
	dans la cuisine.		de la cuisine.
	chez Pierre.		de chez Pierre.
	chez moi.		de chez moi.

Noms de pays [18]

	En				Au		
la ◀	France Belgique Suisse	en ◀	France Belgique Suisse	le ◀	Japon Mexique Portugal	au ◀	Japon Mexique Portugal
l' ◀	Angleterre Allemagne Espagne	en ◀	Angleterre Allemagne Espagne	les ◀	Etats-Unis	aux ◀	Etats-Unis

Noms de villes [19]

à ◀ Paris
Valence
Bordeaux
Madrid

Se situer dans le temps [20]

L'heure

Il est midi   Il est minuit

La journée

LE MATIN					L'APRES-MIDI							LE SOIR			LA NUIT			
8.00	9.00	10.00	11.00	12.00	13.00	14.00	15.00	16.00	17.00	18.00	19.00	20.00	21.00	22.00	23.00	24.00	1.00	2.00

La semaine

Lundi	
Mardi	Avant-hier
Mercredi	Hier
Jeudi	Auiourd'hui
Vendredi	Demain
Samedi	Après-demain
Dimanche	

L'année

Les saisons

Janvier		
Février	L'hiver	
Mars		
Avril		
Mai	Le printemps	
Juin		
Juillet		
Août	L'été	
Septembre		
Octobre		
Novembre	L'automne	
Décembre		

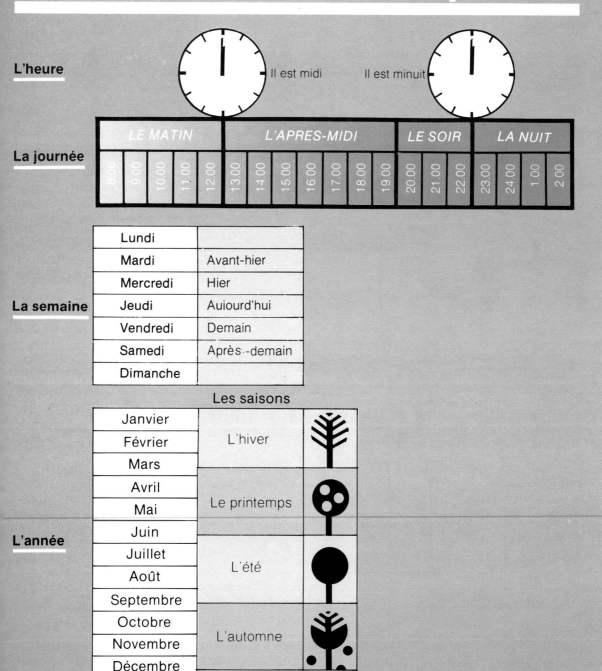

Les verbes

Le présent

Aller

Je vais
Tu vas
Il va
Elle va
Nous allons
Vous allez
Ils vont
Elles vont

Être

Je suis
Tu es
Il est
Elle est
Nous sommes
Vous êtes
Ils sont
Elles sont

Avoir

J' ai
Tu as
Il a
Elle a
Nous avons
Vous avez
Ils ont
Elles ont

Faire

Je fais
Tu fais
Il fait
Elle fait
Nous faisons
Vous faites
Ils font
Elles font

Parler

Je parle
Tu parles
Il parle
Elle parle
Nous parlons
Vous parlez
Ils parlent
Elles parlent

Acheter

J' achète
Tu achètes
Il achète
Elle achète
Nous achetons
Vous achetez
Ils achètent
Elles achètent

S'appeler

Je m'appelle
Tu t'appelles
Il s'appelle
Elle s'appelle
Nous nous appelons
Vous vous appelez
Ils s'appellent
Elles s'appellent

Manger

Je mange
Tu manges
Il mange
Elle mange
Nous mangeons
Vous mangez
Ils mangent
Elles mangent

Neiger

Il neige

Pleuvoir

Il pleut

Dormir

Je dors
Tu dors
Il dort
Elle dort
Nous dormons
Vous dormez
Ils dorment
Elles dorment

Ecrire

J' écris
Tu écris
Il écrit
Elle écrit
Nous écrivons
Vous écrivez
Ils écrivent
Elles écrivent

Finir

Je finis
Tu finis
Il finit
Elle finit
Nous finissons
Vous finissez
Ils finissent
Elles finissent

Lire

Je lis
Tu lis
Il lit
Elle lit
Nous lisons
Vous lisez
Ils lisent
Elles lisent

Mourir

Je meurs
Tu meurs
Il meurt
Elle meurt
Nous mourons
Vous mourez
Ils meurent
Elles meurent

Ouvrir

J' ouvre
Tu ouvres
Il ouvre
Elle ouvre
Nous ouvrons
Vous ouvrez
Ils ouvrent
Elles ouvrent

Partir

Je pars
Tu pars
Il part
Elle part
Nous partons
Vous partez
Ils partent
Elles partent

Sortir		Venir		Pouvoir		Suivre	
Je	sors	Je	viens	Je	peux	Je	suis
Tu	sors	Tu	viens	Tu	peux	Tu	suis
Il	sort	Il	vient	Il	peut	Il	suit
Elle	sort	Elle	vient	Elle	peut	Elle	suit
Nous	sortons	Nous	venons	Nous	pouvons	Nous	suivons
Vous	sortez	Vous	venez	Vous	pouvez	Vous	suivez
Ils	sortent	Ils	viennent	Ils	peuvent	Ils	suivent
Elles	sortent	Elles	viennent	Elles	peuvent	Elles	suivent

Savoir		Voir		Vouloir		Attendre	
Je	sais	Je	vois	Je	veux	J'	attends
Tu	sais	Tu	vois	Tu	veux	Tu	attends
Il	sait	Il	voit	Il	veut	Il	attend
Elle	sait	Elle	voit	Elle	veut	Elle	attend
Nous	savons	Nous	voyons	Nous	voulons	Nous	attendons
Vous	savez	Vous	voyez	Vous	voulez	Vous	attendez
Ils	savent	Ils	voient	Ils	veulent	Ils	attendent
Elles	savent	Elles	voient	Elles	veulent	Elles	attendent

Connaître		Mettre		Prendre		Perdre	
Je	connais	Je	mets	Je	prends	Je	perds
Tu	connais	Tu	mets	Tu	prends	Tu	perds
Il	connaît	Il	met	Il	prend	Il	perd
Elle	connaît	Elle	met	Elle	prend	Elle	perd
Nous	connaissons	Nous	mettons	Nous	prenons	Nous	perdons
Vous	connaissez	Vous	mettez	Vous	prenez	Vous	perdez
Ils	connaissent	Ils	mettent	Ils	prennent	Ils	perdent
Elles	connaissent	Elles	mettent	Elles	prennent	Elles	perdent

Le présent continu

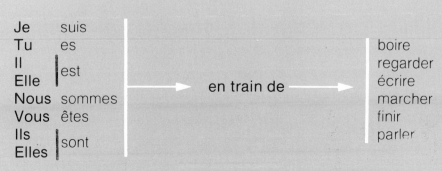

Je	suis			boire
Tu	es			regarder
Il				écrire
Elle	est	→ en train de →		marcher
Nous	sommes			finir
Vous	êtes			parler
Ils				
Elles	sont			

Au présent

	modèle		modèle		modèle		modèle
Adorer J'adore	parler	**Découvrir** Je découvre	ouvrir	**Jouer** Je joue	parler	**Recommander** Je recommande	parler
Aimer J'aime	parler	**Décrire** Je décris	écrire	**Laisser** Je laisse	parler	**Reculer** Je recule	parler
S'amuser Je m'amuse	s'appeler	**Déjeuner** Je déjeune	parler	**Lever** Je lève	parler	**Regarder** Je regarde	parler
Apporter J'apporte	parler	**Se dépêcher** Je me dépêche	s'appeler	**Se lever** Je me lève	s'appeler	**Répondre** Je réponds	attendre
Apprendre J'apprends	prendre	**Deviner** Je devine	parler	**Monter** Je monte	parler	**Se reposer** Je me repose	s'appeler
S'arrêter Je m'arrête	s'appeler	**Se disputer** Je me dispute	s'appeler	**Observer** J'observe	parler	**Revenir** Je reviens	venir
Avancer J'avance	parler	**Durer** Je dure	parler	**Organiser** J'organise	parler	**Rouler** Je roule	parler
Baisser Je baisse	parler	**Ecouter** J'écoute	parler	**Oublier** J'oublie	parler	**Tomber** Je tombe	parler
Bouger Je bouge	manger	**Effacer** J'efface	parler	**Passer** Je passe	parler	**Toucher** Je touche	parler
Casser Je casse	parler	**Entendre** J'entends	attendre	**Plier** Je plie	parler	**Travailler** Je travaille	parler
Changer Je change	parler	**Etudier** J'étudie	parler	**Préférer** Je préfère	parler	**Traverser** Je traverse	parler
Choisir Je choisis	finir	**Fumer** Je fume	parler	**Présenter** Je présente	parler	**Trouver** Je trouve	parler
Comprendre Je comprends	prendre	**Gagner** Je gagne	parler	**Se présenter** Je me présente	s'appeler	**Utiliser** J'utilise	parler
Conseiller Je conseille	parler	**Goûter** Je goûte	parler	**Prêter** Je prête	parler	**Visiter** Je visite	parler
Copier Je copie	parler	**S'habiller** Je m'habille	s'appeler	**Raconter** Je raconte	parler		
Décider Je décide	parler	**Habiter** J'habite	parler	**Ralentir** Je ralentis	finir		

Le passé composé

avec **avoir**

ˉtre

J'	ai été
ˉu	as été
	a été
ˉlle	a été
ˉlous	avons été
ˉous	avez été
ˉs	ont été
ˉlles	ont été

Attendre

J'	ai attendu
Tu	as attendu
Il	a attendu
Elle	a attendu
Nous	avons attendu
Vous	avez attendu
Ils	ont attendu
Elles	ont attendu

Pouvoir

J'	ai pu
Tu	as pu
Il	a pu
Elle	a pu
Nous	avons pu
Vous	avez pu
Ils	ont pu
Elles	ont pu

Ecrire

J'	ai écrit
Tu	as écrit
Il	a écrit
Elle	a écrit
Nous	avons écrit
Vous	avez écrit
Ils	ont écrit
Elles	ont écrit

ˉarler

	ai parlé
ˉu	as parlé
	a parlé
ˉlle	a parlé
ˉlous	avons parlé
ˉous	avez parlé
ˉs	ont parlé
ˉlles	ont parlé

Prendre

J'	ai pris
Tu	as pris
Il	a pris
Elle	a pris
Nous	avons pris
Vous	avez pris
Ils	ont pris
Elles	ont pris

Voir

J'	ai vu
Tu	as vu
Il	a vu
Elle	a vu
Nous	avons vu
Vous	avez vu
Ils	ont vu
Elles	ont vu

Ouvrir

J'	ai ouvert
Tu	as ouvert
Il	a ouvert
Elle	a ouvert
Nous	avons ouvert
Vous	avez ouvert
Ils	ont ouvert
Elles	ont ouvert

ˉeiger

	a neigé

Avoir

J'	ai eu
Tu	as eu
Il	a eu
Elle	a eu
Nous	avons eu
Vous	avez eu
Ils	ont eu
Elles	ont eu

Connaître

J'	ai connu
Tu	as connu
Il	a connu
Elle	a connu
Nous	avons connu
Vous	avez connu
Ils	ont connu
Elles	ont connu

Pleuvoir

Il	a plu

ˉinir

	ai fini
ˉu	as fini
	a fini
ˉle	a fini
ˉous	avons fini
ˉous	avez fini
ˉs	ont fini
ˉlles	ont fini

Acheter

J'	ai acheté
Tu	as acheté
Il	a acheté
Elle	a acheté
Nous	avons acheté
Vous	avez acheté
Ils	ont acheté
Elles	ont acheté

Perdre

J'	ai perdu
Tu	as perdu
Il	a perdu
Elle	a perdu
Nous	avons perdu
Vous	avez perdu
Ils	ont perdu
Elles	ont perdu

Vouloir

J'	ai voulu
Tu	as voulu
Il	a voulu
Elle	a voulu
Nous	avons voulu
Vous	avez voulu
Ils	ont voulu
Elles	ont voulu

Servir

J'	ai servi
Tu	as servi
Il	a servi
Elle	a servi
Nous	avons servi
Vous	avez servi
Ils	ont servi
Elles	ont servi

Dormir

J'	ai dormi
Tu	as dormi
Il	a dormi
Elle	a dormi
Nous	avons dormi
Vous	avez dormi
Ils	ont dormi
Elles	ont dormi

Faire

J'	ai fait
Tu	as fait
Il	a fait
Elle	a fait
Nous	avons fait
Vous	avez fait
Ils	ont fait
Elles	ont fait

Mettre

J'	ai mis
Tu	as mis
Il	a mis
Elle	a mis
Nous	avons mis
Vous	avez mis
Ils	ont mis
Elles	ont mis

Savoir

J'	ai su
Tu	as su
Il	a su
Elle	a su
Nous	avons su
Vous	avez su
Ils	ont su
Elles	ont su

Lire

J'	ai lu
Tu	as lu
Il	a lu
Elle	a lu
Nous	avons lu
Vous	avez lu
Ils	ont lu
Elles	ont lu

Manger

J'	ai mangé
Tu	as mangé
Il	a mangé
Elle	a mangé
Nous	avons mangé
Vous	avez mangé
Ils	ont mangé
Elles	ont mangé

Suivre

J'	ai suivi
Tu	as suivi
Il	a suivi
Elle	a suivi
Nous	avons suivi
Vous	avez suivi
Ils	ont suivi
Elles	ont suivi

avec ***être***

Aller

Je	suis allé(e)
Tu	es allé(e)
Il	est allé
Elle	est allée
Nous	sommes allé(e)s
Vous	êtes allé(e)s
Ils	sont allés
Elles	sont allées

S'appeler

Je	me suis appelé(e)
Tu	t'es appelé(e)
Il	s'est appelé
Elle	s'est appelée
Nous	nous sommes appelé(e)s
Vous	vous êtes appelé(e)s
Ils	se sont appelés
Elles	se sont appelées

Entrer

Je	suis entré(e)
Tu	es entré(e)
Il	est entré
Elle	est entrée
Nous	sommes entré(e)s
Vous	êtes entré(e)s
Ils	sont entrés
Elles	sont entrées

Monter

Je	suis monté(e)
Tu	es monté(e)
Il	est monté
Elle	est montée
Nous	sommes monté(e)s
Vous	êtes monté(e)s
Ils	sont montés
Elles	sont montées

Passer

Je	suis passé(e)
Tu	es passé(e)
Il	est passé
Elle	est passée
Nous	sommes passé(e)s
Vous	êtes passé(e)s
Ils	sont passés
Elles	sont passées

Tomber

Je	suis tombé(e)
Tu	es tombé(e)
Il	est tombé
Elle	est tombée
Nous	sommes tombé(e)s
Vous	êtes tombé(e)s
Ils	sont tombés
Elles	sont tombées

Mourir

Je	suis mort(e)
Tu	es mort(e)
Il	est mort
Elle	est morte
Nous	sommes mort(e)s
Vous	êtes mort(e)s
Ils	sont morts
Elles	sont mortes

Partir	Revenir	Sortir	Venir
Je suis parti(e)	Je suis revenu(e)	Je suis sorti(e)	Je suis venu(e)
Tu es parti(e)	Tu es revenu(e)	Tu es sorti(e)	Tu es venu(e)
Il est parti	Il est revenu	Il est sorti	Il est venu
Elle est partie	Elle est revenue	Elle est sortie	Elle est venue
Nous sommes parti(e)s	Nous sommes revenu(e)s	Nous sommes sorti(e)s	Nous sommes venu(e)s
Vous êtes parti(e)s	Vous êtes revenu(e)s	Vous êtes sorti(e)s	Vous êtes venu(e)s
Ils sont partis	Ils sont revenus	Ils sont sortis	Ils sont venus
Elles sont parties	Elles sont revenues	Elles sont sorties	Elles sont venues

Le passé récent

Venir de + Infinitif

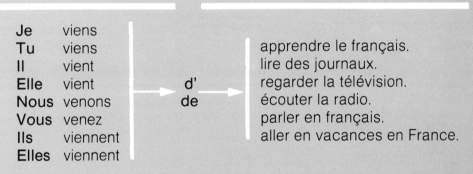

Je	viens		
Tu	viens		
Il	vient		apprendre le français.
Elle	vient		lire des journaux.
		d'	regarder la télévision.
Nous	venons	de	écouter la radio.
Vous	venez		parler en français.
Ils	viennent		aller en vacances en France.
Elles	viennent		

Au passé

	modèle		modèle		modèle		modèle
Adorer		**Découvrir**		**Jouer**		**Recommander**	
J'ai adoré	parler	J'ai découvert	ouvrir	J'ai joué	parler	J'ai recommandé	parler
Aimer		**Décrire**		**Laisser**		**Reculer**	
J'ai aimé	parler	J'ai décrit	écrire	J'ai laissé	parler	J'ai reculé	parler
S'amuser		**Déjeuner**		**Lever**		**Regarder**	
Je me suis amusé(e)	s'appeler	J'ai déjeuné	parler	J'ai levé	parler	J'ai regardé	parler
Apporter		**(Se) dépêcher**		**(Se) lever**		**Répondre**	
J'ai apporté	parler	Je me suis dépêché(e)	s'appeler	Je me suis levé(e)	s'appeler	J'ai répondu	attendre
Apprendre		**Deviner**		**Monter**		**(Se) reposer**	
J'ai appris	prendre	J'ai deviné	parler	Je suis monté(e)	entrer	Je me suis reposé(e)	s'appeler
S'arrêter		**(Se) disputer**		**Observer**		**Revenir**	
Je me suis arrêté(e)	s'appeler	Je me suis disputé(e)	s'appeler	J'ai observé	parler	Je suis revenu(e)	venir
Avancer		**Durer**		**Organiser**		**Rouler**	
J'ai avancé	parler	J'ai duré	parler	J'ai organisé	parler	J'ai roulé	parler

	modèle		modèle		modèle		modèle
Baisser J'ai baissé	parler	**Ecouter** J'ai écouté	parler	**Oublier** J'ai oublié	parler	**Tomber** Je suis tombé(e)	entrer
Bouger J'ai bougé	manger	**Effacer** J'ai effacé	parler	**Passer** J'ai passé	parler	**Toucher** J'ai touché	parler
Casser J'ai cassé	parler	**Entendre** J'ai entendu	attendre	**Plier** J'ai plié	parler	**Travailler** J'ai travaillé	parler
Changer J'ai changé	parler	**Etudier** J'ai étudié	parler	**Préférer** J'ai préféré	parler	**Traverser** J'ai traversé	parler
Choisir J'ai choisi	finir	**Fumer** J'ai fumé	parler	**Présenter** J'ai présenté	parler	**Trouver** J'ai trouvé	parler
Comprendre J'ai compris	prendre	**Gagner** J'ai gagné	parler	**(Se) présenter** Je me suis présenté(e)	s'appeler	**Utiliser** J'ai utilisé	parler
Conseiller J'ai conseillé	parler	**Goûter** J'ai goûté	parler	**Prêter** J'ai prêté	parler	**Visiter** J'ai visité	parler
Copier J'ai copié	parler	**S'habiller** Je me suis habillé(e)	s'appeler	**Raconter** J'ai raconté	parler		
Décider J'ai décidé	parler	**Habiter** J'ai habité	parler	**Ralentir** J'ai ralenti	finir		

L'imparfait

Aller	**Être**	**Avoir**	**Faire**
J' allais	J' étais	J' avais	Je faisais
Tu allais	Tu étais	Tu avais	Tu faisais
Il allait	Il était	Il avait	Il faisait
Elle allait	Elle était	Elle avait	Elle faisait
Nous allions	Nous étions	Nous avions	Nous faisions
Vous alliez	Vous étiez	Vous aviez	Vous faisiez
Ils allaient	Ils étaient	Ils avaient	Ils faisaient
Elles allaient	Elles étaient	Elles avaient	Elles faisaient

Formation

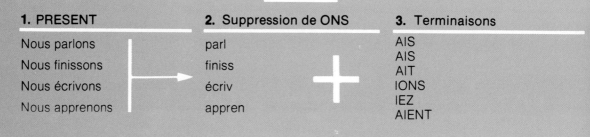

1. PRESENT

Nous parlons
Nous finissons
Nous écrivons
Nous apprenons

2. Suppression de ONS

parl
finiss
écriv
appren

3. Terminaisons

AIS
AIS
AIT
IONS
IEZ
AIENT

On obtient ainsi

Parler

Je	parlais
Tu	parlais
Il	parlait
Elle	parlait
Nous	parlions
Vous	parliez
Ils	parlaient
Elles	parlaient

Finir

Je	finissais
Tu	finissais
Il	finissait
Elle	finissait
Nous	finissions
Vous	finissiez
Ils	finissaient
Elles	finissaient

Ecrire

J'	écrivais
Tu	écrivais
Il	écrivait
Elle	écrivait
Nous	écrivions
Vous	écriviez
Ils	écrivaient
Elles	écrivaient

Apprendre

J'	apprenais
Tu	apprenais
Il	apprenait
Elle	apprenait
Nous	apprenions
Vous	appreniez
Ils	apprenaient
Elles	apprenaient

Le futur

Aller

J'	irai
Tu	iras
Il	ira
Elle	ira
Nous	irons
Vous	irez
Ils	iront
Elles	iront

Être

Je	serai
Tu	seras
Il	sera
Elle	sera
Nous	serons
Vous	serez
Ils	seront
Elles	seront

Avoir

J'	aurai
Tu	auras
Il	aura
Elle	aura
Nous	aurons
Vous	aurez
Ils	auront
Elles	auront

Faire

Je	ferai
Tu	feras
Il	fera
Elle	fera
Nous	ferons
Vous	ferez
Ils	feront
Elles	feront

Parler

Je	parlerai
Tu	parleras
Il	parlera
Elle	parlera
Nous	parlerons
Vous	parlerez
Ils	parleront
Elles	parleront

Acheter

J'	achèterai
Tu	achèteras
Il	achètera
Elle	achètera
Nous	achèterons
Vous	achèterez
Ils	achèteront
Elles	achèteront

S'appeler

Je	m'appellerai
Tu	t'appelleras
Il	s'appellera
Elle	s'appellera
Nous	nous appellerons
Vous	vous appellerez
Ils	s'appelleront
Elles	s'appelleront

Manger

Je	mangerai
Tu	mangeras
Il	mangera
Elle	mangera
Nous	mangerons
Vous	mangerez
Ils	mangeront
Elles	mangeront

Neiger

Il	neigera

Pleuvoir

Il	pleuvra

Dormir

Je	dormirai
Tu	dormiras
Il	dormira
Elle	dormira
Nous	dormirons
Vous	dormirez
Ils	dormiront
Elles	dormiront

Ecrire

J'	écrirai
Tu	écriras
Il	écrira
Elle	écrira
Nous	écrirons
Vous	écrirez
Ils	écriront
Elles	écriront

Finir

Je	finirai
Tu	finiras
Il	finira
Elle	finira
Nous	finirons
Vous	finirez
Ils	finiront
Elles	finiront

Lire

Je	lirai
Tu	liras
Il	lira
Elle	lira
Nous	lirons
Vous	lirez
Ils	liront
Elles	liront

Mourir

Je	mourrai
Tu	mourras
Il	mourra
Elle	mourra
Nous	mourrons
Vous	mourrez
Ils	mourront
Elles	mourront

Ouvrir

J'	ouvrirai
Tu	ouvriras
Il	ouvrira
Elle	ouvrira
Nous	ouvrirons
Vous	ouvrirez
Ils	ouvriront
Elles	ouvriront

Partir

Je	partirai
Tu	partiras
Il	partira
Elle	partira
Nous	partirons
Vous	partirez
Ils	partiront
Elles	partiront

Sortir

Je	sortirai
Tu	sortiras
Il	sortira
Elle	sortira
Nous	sortirons
Vous	sortirez
Ils	sortiront
Elles	sortiront

Venir

Je	viendrai
Tu	viendras
Il	viendra
Elle	viendra
Nous	viendrons
Vous	viendrez
Ils	viendront
Elles	viendront

Pouvoir

Je	pourrai
Tu	pourras
Il	pourra
Elle	pourra
Nous	pourrons
Vous	pourrez
Ils	pourront
Elles	pourront

Suivre

Je	suivrai
Tu	suivras
Il	suivra
Elle	suivra
Nous	suivrons
Vous	suivrez
Ils	suivront
Elles	suivront

Connaître

Je	connaîtrai
Tu	connaîtras
Il	connaîtra
Elle	connaîtra
Nous	connaîtrons
Vous	connaîtrez
Ils	connaîtront
Elles	connaîtront

Mettre

Je	mettrai
Tu	mettras
Il	mettra
Elle	mettra
Nous	mettrons
Vous	mettrez
Ils	mettront
Elles	mettront

Prendre

Je	prendrai
Tu	prendras
Il	prendra
Elle	prendra
Nous	prendrons
Vous	prendrez
Ils	prendront
Elles	prendront

Perdre

Je	perdrai
Tu	perdras
Il	perdra
Elle	perdra
Nous	perdrons
Vous	perdrez
Ils	perdront
Elles	perdront

Savoir

Je	saurai
Tu	sauras
Il	saura
Elle	saura
Nous	saurons
Vous	saurez
Ils	sauront
Elles	sauront

Voir

Je	verrai
Tu	verras
Il	verra
Elle	verra
Nous	verrons
Vous	verrez
Ils	verront
Elles	verront

Vouloir

Je	voudrai
Tu	voudras
Il	voudra
Elle	voudra
Nous	voudrons
Vous	voudrez
Ils	voudront
Elles	voudront

Attendre

J'	attendrai
Tu	attendras
Il	attendra
Elle	attendra
Nous	attendrons
Vous	attendrez
Ils	attendront
Elles	attendront

Le futur proche

Aller + Infinitif

Je	vais		apprendre le français
Tu	vas		lire des journaux
Il	va		regarder la télévision
Elle			écouter la radio
Nous	allons		parler en français
Vous	allez		aller en vacances en France
Ils	vont		
Elles			

Au futur

modèle		modèle		modèle		modèle	
Adorer		**Découvrir**		**Jouer**		**Recommander**	
J'adorerai	parler	Je découvrirai	ouvrir	Je jouerai	parler	Je recommanderai	parler
Aimer		**Décrire**		**Laisser**		**Reculer**	
J'aimerai	parler	Je décrirai	écrire	Je laisserai	parler	Je reculerai	parler
S'amuser		**Déjeuner**		**Lever**		**Regarder**	
Je m'amuserai	s'appeler	Je déjeunerai	parler	Je lèverai	parler	Je regarderai	parler
Apporter		**(Se) dépêcher**		**(Se) lever**		**Répondre**	
J'apporterai	parler	Je me dépêcherai	s'appeler	Je me lèverai	s'appeler	Je répondrai	attendre
Apprendre		**Deviner**		**Monter**		**Se reposer**	
J'apprendrai	prendre	Je devinerai	parler	Je monterai	entrer	Je me reposerai	s'appeler
S'arrêter		**(Se) disputer**		**Observer**		**Revenir**	
Je m'arrêterai	s'appeler	Je me disputerai	s'appeler	J'observerai	parler	Je reviendrai	venir
Avancer		**Durer**		**Organiser**		**Rouler**	
J'avancerai	parler	Je durerai	parler	J'organiserai	parler	Je roulerai	parler
Baisser		**Ecouter**		**Oublier**		**Tomber**	
Je baisserai	parler	J'écouterai	parler	J'oublierai	parler	Je tomberai	entrer
Bouger		**Effacer**		**Passer**		**Toucher**	
Je bougerai	manger	J'effacerai	parler	Je passerai	parler	Je toucherai	parler
Casser		**Entendre**		**Plier**		**Travailler**	
Je casserai	parler	J'entendrai	attendre	Je plierai	parler	Je travaillerai	parler
Changer		**Etudier**		**Préférer**		**Traverser**	
Je changerai	parler	J'étudierai	parler	Je préférerai	parler	Je traverserai	parler
Choisir		**Fumer**		**Présenter**		**Trouver**	
Je choisirai	finir	Je fumerai	parler	Je présenterai	parler	Je trouverai	parler

	modèle		modèle		modèle		modèle
Comprendre		**Gagner**		**Se présenter**		**Utiliser**	
Je comprendrai	prendre	Je gagnerai	parler	Je me présenterai	s'appeler	J'utiliserai	parler
Conseiller		**Goûter**		**Prêter**		**Visiter**	
Je conseillerai	parler	Je goûterai	parler	Je prêterai	parler	Je visiterai	parler
Copier		**S'habiller**		**Raconter**			
Je copierai	parler	Je m'habillerai	s'appeler	Je raconterai	parler		
Décider		**Habiter**		**Ralentir**			
Je déciderai	parler	J'habiterai	parler	Je ralentirai	finir		

Lexique★

★ *NOTE. Les numéros entre parenthèses renvoient à l'unité où le mot apparait pour la première fois.*

Table des matières

Nos remerciements les plus sincères à

Yvette TESSARO *sans qui Le p'tit Manuel n'aurait jamais vu le jour.*
Luis ALONSO *dont la confiance et les encouragements ne nous ont jamais manqué.*
Tous nos collègues qui ont expérimenté Le p'tit Manuel et nous ont fait part de leurs conseils et de leurs remarques.
Nos familles qui, malgré les sacrifices, ne nous ont jamais privés de leur soutien.

Dessins

Víctor LAHUERTA: *Couverture* • 6 • 16 *(Activité 10)* • 20 *(à gauche en bas et à droite au centre)* • 25 • 26 • 36 • 40 • 42 • 52 • 56 *(Activité 9)* • 60 *(en bas)* • 68 • 70 *(technique mixte)* • 78 • 83 • 94 • 100 • 103 • 119/ José Luis MARCO: 16 *(Activité 9)* • 20 *(à droite en haut en bas)* • 28 • 38-39 • 41 • 44 *(en haut)* • 47 • 51 • 60 *(en haut)* • 69 • 77 • 88 • 96 • 101 *(Activité 6)* • 102 / Manuel MARTINEZ: 20 *(à gauche en haut et au centre)* • 27 • 30 • 31 • 44 *(en bas)* • 54 • 56 *(Activité 8)* • 57 • 58 • 59 • 62 • 84 • 85 • 87 • 91 • 97 • 101 *(Activité)* • 104.

Photographies

François MAKOWSKI: *10* • *19* • *22* • *43* • *46* • *76* • *79* • *100* / Victor M. LAHUERTA: *75* • *82* (technique mixte).

Documents

La Documentation Francaise: *81* (La France et les Français, *page 117*) • **DUPUIS, Editions:** Charleroi Belgium: *50 et 66* (Gaston Lagaffe, *album n.º 11, page 24*) © A. Franquin • **HACHETTE:** 71 (Notre géographie, *pages 135-136. Classiques Hachette*) • **Ministère des Relations Extérieures:** *18* (France Informations, *nº 121, page 10*) • **GALLIMARD,** Editions: *89* (Jean-Paul Sartre, *Les Mots*); *106-III* (Jean Tardieu, *Monsieur, Monsieur,* extrait de *LE FLEUVE CACHE;* Jacques Prévert, *Paroles;* Guillaume Apollinaire, *CALLIGRAMMES, La cravate et la montre;* Maurice Fombeure, *C'est le joli printemps, A DOS D'OISEAU* • **LA BOIVINIERE,** Editions: *70* (George L. Hendel: *Les arbres de la ville)* • **LABOR** Editions: *106* (A. Chavée, *A cor et à cri;* F. Dumont, *La région du coeur,* B X 1, Espace Nord (n.º 20), 1985, pp. 46-47; Norge, *REMUER CIEL ET TERRE, La brebis galeuse)* • **ST. GERMAIN-DES-PRES,** Editions: *108* Paul Vincensini, *Qu'est-ce qu'il n'y a?* • **SEGHERS** Editions: *III* (Robert Desnos, *Le pélican,* poètes d'aujourd'hui). • **DISCOS POLIDOR:** *33* (Georges Moustaki, *Il y avait un jardin, GEORGES MOUSTAKI 1971).*

Imprimé en France par
I.M.E. - 25110 Baume-les-Dames
Dépôt légal n° 4674-06/1993
Collection n° 15 - Édition n° 05
15/4675/3